Le Baiser de Rodin

***The Kiss* by Rodin**

Ce catalogue a été réalisé par Antoinette Le Normand-Romain
à l'occasion de l'exposition *Manet, Gauguin, Rodin...*
Chefs-d'œuvre de la Ny Carlsberg Glyptotek de Copenhague
présentée au musée d'Orsay du 9 octobre 1995 au 21 janvier 1996.

La traduction du catalogue a été assurée par Lisa Davidson
et Michael Gibson.

Que soient remerciés ici les prêteurs qui ont permis la réalisation
du dossier consacré au *Baiser* :
• la Ny Carlsberg Glyptotek de Copenhague,
• le musée des Beaux-Arts de Dijon,
• la Tate Gallery de Londres,
• le musée Paul Dubois-Alfred Boucher de Nogent-sur-Seine,
• le musée Rodin de Paris.

This catalogue was prepared by Antoinette Le Normand-Romain
on the occasion of the exhibition *Manet, Gauguin, Rodin...*
Chefs-d'œuvre de la Ny Carlsberg Glyptotek de Copenhague
presented at the Musée d'Orsay from 9 October 1995 to 21 January 1996.

The text was translated by Lisa Davidson and Michael Gibson.

Our thanks go to the lenders who made it possible to organize
this "dossier" exhibition devoted to Rodin's *Kiss* :
• The Ny Carlsberg Glyptotek in Copenhagen,
• The Musée des Beaux-Arts in Dijon,
• The Tate Gallery in London,
• The Musée Paul Dubois-Alfred Boucher in Nogent-sur-Seine,
• The Musée Rodin in Paris.

Le Baiser de Rodin

par Antoinette Le Normand-Romain

The Kiss by Rodin

by Antoinette Le Normand-Romain

 Réunion
des Musées
Nationaux

Préface

Fermée pendant quelques mois en raison de travaux de rénovation, la Ny Carlsberg Glyptotek de Copenhague expose au musée d'Orsay, du 9 octobre 1995 au 21 janvier 1996, les chefs-d'œuvre de ses collections. Parmi ceux-ci se trouve un très important ensemble d'œuvres de Rodin. Carl Jacobsen, le fondateur de la Glyptothèque, avait en effet découvert Rodin lors de l'exposition personnelle organisée par celui-ci à Paris, en 1900. Il conçut alors le projet de constituer un petit "musée Rodin" à Copenhague et réussit à acquérir avant sa mort, en 1914, vingt-quatre œuvres, des marbres, des bronzes et des plâtres : « L"histoire se renouvelle, lui écrivait Rodin, et les Médicis se retrouvent à Copenhague à notre époque. » Ce noyau, d'importance exceptionnelle puisque composé d'œuvres provenant directement de Rodin, fut enrichi par la suite d'une dizaine de pièces et l'ensemble a donné lieu en 1988 à une exposition accompagnée d'un catalogue raisonné d'Anne-Birgitte Fonsmark, *Rodin. La collection du brasseur Carl Jacobsen à la Glyptothèque – et œuvres apparentées* (Copenhague, Ny Carlsberg Glyptotek).

5

Preface

The Ny Carlsberg Glyptotek in Copenhagen, closed for several months for renovation, is exhibiting the masterpieces of its collection at the Musée d'Orsay from 9 October 1995 to 21 January 1996. These include a large number of works by Rodin. Carl Jacobsen, the founder of the Glyptotek, first discovered Rodin at a one-man exhibition organized by the artist in Paris in 1900. He then decided to create a small "Rodin museum" in Copenhagen and acquired 24 works — including marbles, bronzes and plasters — before his death in 1914. "History repeats itself," Rodin wrote to Carlsberg, "and the Medicis of our time are now in Copenhagen." This original collection, which is exceptionally important in that it consists of works acquired directly from Rodin, was later enlarged by some 10 works. In 1988, the collection was exhibited and a catalogue raisonné, *Rodin. La collection du brasseur Carl Jacobsen à la Glyptothèque - et œuvres apparentées* (Copenhagen, Ny Carlsberg Glyptotek), by Anne-Birgitte Fonsmark was published.

La collection de Jacobsen comprend en effet des œuvres de tout premier plan : c'est pour lui que fut réalisée la deuxième fonte du groupe des *Bourgeois de Calais* (après l'exemplaire de Calais), et il fut également l'un des premiers à commander, en 1905, un grand *Penseur*, au moment où l'œuvre et sa mise en place éventuelle devant le Panthéon à Paris faisaient encore l'objet d'une polémique. En 1903, ayant vu une reproduction du groupe des trois grandes *Ombres*, sans mains droites, exposé au Salon, il demanda à Rodin de lui envoyer un plâtre, et c'est ainsi que la Ny Carlsberg Glyptotek possède un exemplaire de la figure fragmentaire qui manque aux collections du musée Rodin ! Jacobsen acquit également plusieurs pierres ou marbres qui étaient les uns des premiers exemplaires (*l'Enfant prodigue* en pierre calcaire), et les autres des répliques d'œuvres antérieures telles que la *Danaïde* et *le Baiser* dont les marbres originaux, acquis l'un et l'autre par l'État pour le musée du Luxembourg, se trouvent aujourd'hui au musée Rodin à Paris.

Tout naturellement, les commissaires de l'exposition, Anne-Birgitte Fonsmark, directeur de l'Ordrupgaardsamlingen de

Jacobsen's collection includes several major works: the second casting of *The Burghers of Calais* was made for him (the first went to Calais), and in 1905, he was also one of the first to order a large *Thinker*. This was a time when the work itself and its proposed installation in front of the Pantheon were still the object of a heated debate. In 1903, when he saw a reproduction of the three large *Shadows*, without right hands, at the Salon, he asked Rodin to send him a plaster. The Ny Carlsberg Glyptotek thus came to own a copy of the fragmented figure that even the Musée Rodin does not have! Jacobsen also acquired several works in stone or marble: some, like the *Prodigal Son*, are the original version, others are marble replicas of earlier works such as *Danaide* and *The Kiss*, whose original marble versions, both purchased by the state for the Musée du Luxembourg, are now in the Musée Rodin in Paris.

The curators of the exhibition, Anne-Birgitte Fonsmark, director of the Ordrupgaardsamlingen in Copenhagen,

Copenhague, et Anne Pingeot, conservateur général au musée d'Orsay, ont souhaité profiter de la venue des exemplaires danois pour les confronter aux nôtres, chose que Rodin lui-même n'avait pu faire. La confrontation se révèlera sûrement passionnante car ces marbres ont tous été exécutés sous la direction de Rodin, certes, mais par des praticiens différents qui, comme Turcan, étaient parfois d'excellents sculpteurs eux-mêmes.

Perçu comme l'antithèse du *Balzac* lorsqu'il fut exposé à côté de celui-ci au Salon de 1898, *le Baiser* nous paraît aujourd'hui appartenir au Rodin le plus académique, mais il n'en demeure pas moins une œuvre célèbrissime qui ira d'ailleurs représenter la France aux Jeux olympiques d'Atlanta en 1996. Malgré la difficulté et le coût du transport de groupes de cette dimension, le musée d'Orsay a donc demandé à la Tate Gallery de Londres le prêt du troisième exemplaire en marbre, exécuté en même temps que celui de Copenhague, tandis que le musée Rodin constituait un "dossier" autour de l'œuvre, allant de la troisième maquette de *la Porte de l'Enfer*, dans laquelle *le Baiser* apparaît

and Anne Pingeot, general curator at the Musée d'Orsay, want to take advantage of the loan of the Danish copies to compare them with our own, something Rodin himself was never able to do. The comparison should prove fascinating, as these marbles were all executed under Rodin's control, of course, but were carved by different assistants who, like Turcan, were sometimes excellent sculptors in their own right.

The Kiss, perceived as the antithesis of *Balzac* when they were exhibited side by side in the 1898 Salon, now seems to be representative of Rodin at his most academic. It nevertheless remains one of his most famous sculptures, and it was selected to represent France for the 1996 Olympic Games in Atlanta. Despite the difficulty and the cost of transporting works of this size, the Musée d'Orsay asked the Tate Gallery in London to loan the third marble copy of this sculpture, which was made at the same time as the Copenhagen version. The Musée Rodin has devoted

pour la première fois, à l'eau-forte de Marcel Duchamp, *Morceaux choisis d'après Rodin : le Baiser*. L'occasion était trop belle en effet pour ne pas tenter de l'étudier de façon approfondie et, comme nous l'espérions, les archives du musée Rodin ont livré quelques informations nouvelles qui ont permis en particulier de dater plus précisément, et plus tôt que les dates communément admises, l'exécution de notre marbre.

La publication à laquelle ont donné lieu ces recherches s'inscrit après *Les Bourgeois de Calais* (1977), *Rodin sculpteur. Œuvres méconnues* (1992-1993) ou *Rodin, Whistler et la Muse* (1995) dans la série de catalogues consacrés chacun à l'étude d'un groupe d'œuvres de Rodin. Elle devrait être suivie d'un film d'Alain Jaubert qui inaugurerait avec *le Baiser* une série parallèle à "Palette", mais consacrée cette fois à la sculpture.

8 ———————————

a "dossier" to this work, ranging from the third scale model of *The Gates of Hell*, where *The Kiss* appears for the first time, all the way to Marcel Duchamp's etching, *Selected Works after Rodin: The Kiss*. We could hardly afford to miss such an opportunity for an in-depth analysis of these works. As we hoped, the archives of the Musée Rodin have yielded new information, enabling us to date more precisely the execution of our marble, which occurred earlier than initially thought.

The publication resulting from this research continues the series of catalogues, each devoted to a group of works by Rodin. These include *Les Bourgeois de Calais* (1977), *Rodin sculpteur. Œuvres méconnues* (1992-1993) and *Rodin, Whistler et la Muse* (1995). A film by Alain Jaubert devoted to *The Kiss* should inaugurate a television series on "Arte" similar to "Palette" but devoted to sculpture.

Le Baiser

Françoise de Rimini (1880-1887)

1. Paris, galerie Georges-Petit, mai à juillet 1887.

2. Bruxelles, *Exposition générale des beaux-arts*, septembre-octobre 1887, n° 691.

3. Selon Georges Grappe, le premier titre serait *la Foi* (*Catalogue du musée Rodin*, 1944, n° 166).

4. Solvay, *la Nation*, Bruxelles, 27 septembre 1887.

5. 30 décembre 1904. *Cf.* Rodin, *Correspondance*, II, Paris, éditions du musée Rodin, 1986, lettre n° 178. En le remerciant de sa lettre, le 3 février 1905, Turquet glisse en post-scriptum : « Madame Turquet serait bien heureuse d'avoir un souvenir du *Baiser*, et moi du *Penseur*. Voyez si vous avez quelque chose dans un coin de votre atelier » (Paris, arch. musée Rodin).

En 1887, Rodin présenta, d'abord à Paris, une version en bronze et sans titre, semble-t-il[1], puis à Bruxelles un plâtre[2] du groupe baptisé *Françoise de Rimini* : l'actuel *Baiser*[3]. À Paris, il fut quelque peu éclipsé par des œuvres plus importantes, trois des *Bourgeois de Calais*, le buste en marbre de *Madame Roll*, ou même la maquette du *Monument à Bastien-Lepage* ; cependant la critique, à Bruxelles surtout, fut enthousiaste, s'étonnant toutefois de la nudité des personnages, de cet « adorable groupe d'amoureux, nus comme vers, qu'il eût été tout simple d'appeler *le Baiser*, ou rien du tout. Je vous demande un peu ce que Françoise, fût-elle Rimini, vient faire là-dedans[4] ! »

Le titre sous lequel le groupe avait été exposé à Bruxelles était en réalité le dernier vestige des circonstances dans lesquelles il avait été conçu : « Ce dont je vous remercie toujours, écrivait Rodin à Turquet en 1904, c'est de cette commande que vous m'avez faite quand tout était si impossible pour moi, *la Porte*, d'où sort un peu tout ce qui a du succès, *le Baiser* et *le Penseur*[5]. » Le groupe apparaît en effet dans le vantail de gauche de la *Troisième Maquette pour la Porte de l'Enfer* (cat. 3) symétriquement à une représentation d'*Ugolin*, celle-ci sous sa

9

The Kiss

Francesca da Rimini (1880-1887)

1. Paris, Galerie Georges-Petit, May to July 1887.

2. Brussels, *Exposition générale des Beaux-Arts,* September-October 1887, no. 691.

3. According to Georges Grappe, it was originally entitled *Faith* (*Catalogue du musée Rodin*, 1944, no. 166).

4. Solvay, *la Nation*, Brussels, 27 September 1887.

5. 30 December 1904. Cf. Rodin, *Correspondance*, II, Paris, Éditions du Musée Rodin, 1986, letter no. 178. Turquet thanked Rodin for his letter of 3 February 1905 and added a post-scriptum: "Madame Turquet would love to have a souvenir of *The Kiss*, and I of *The Thinker*. See if you have something in your studio" (Paris, archives of the Musée Rodin).

In 1887, Rodin exhibited in Paris[1] an apparently untitled bronze version of the group. He later exhibited in Brussels a plaster version titled *Francesca da Rimini*.[2] This was the work now known as *The Kiss*.[3] In Paris it was somewhat overshadowed by more important works, including three of *The Burghers of Calais,* the marble bust of *Madame Roll* and even the model for the *Monument to Bastien-Lepage.* The critics, nevertheless, especially in Brussels, were enthusiastic; they were surprised, however, by the nudity of the figures, by this "adorable group of stark naked lovers, which it would have been simple enough to call *The Kiss* or to leave untitled. Can anyone tell me what *Francesca*, be she *da Rimini* has to do with this?"[4]

The title under which the sculpture had been exhibited in Brussels was in fact the last remaining trace of the circumstances surrounding its conception. "I will always be grateful for your commissioning me, when everything was so impossible for me, to create *The Gates,* out of which came practically every work that has been successful, *The Kiss* and *The Thinker*."[5] Indeed, the group appears in the left

première forme, un Ugolin assis, le torse vertical, alors que dans la version définitive il s'agit d'un Ugolin rampant à quatre pattes. Ainsi que le précisait l'arrêté du 16 août 1880, *la Porte*, destinée au futur musée des Arts décoratifs, devait être constituée de bas-reliefs illustrant des scènes de *la Divine Comédie* de Dante. Or au Ve chant de *l'Enfer,* Virgile mène Dante au deuxième cercle où errent, poussés par le vent, ceux qui ont commis le péché de chair, et les deux poètes y rencontrent Paolo et Francesca, personnages qui vécurent effectivement au Moyen Âge : vers 1275, Francesca, fille de Guido da Polenta, avait été mariée à Gianciotto Malatesta da Rimini, qui confia sa jeune femme à son frère, le beau Paolo. Paolo et Francesca prirent conscience de leur amour en lisant, parmi les aventures des chevaliers de la Table ronde, celles de Lancelot et de la reine Guenièvre. Mais ils furent surpris par Gianciotto, qui les poignarda : « Amour nous a conduits à une mort unique », fait dire Dante à leurs ombres (V, 106). Cet amour interdit, et la damnation éternelle qui en est la conséquence, devint l'un des thèmes de prédilection de Rodin, comme il l'avait été de beaucoup d'artistes avant lui, à l'époque romantique en particulier : Delacroix, Étex, Croisy et Félicie de Fauveau montrent les amants encore sagement assis l'un près de l'autre ; Ingres et Coupin de La Couperie choisissent l'instant du baiser ; chez Cabanel, Paolo et Francesca sont étendus, morts ; enfin Ary Scheffer, Henri Martin et

10

panel of the *Third Model for The Gates of Hell* (cat. 3), positioned symmetrically to the first representation of *Ugolino*. This figure was seated, with a vertical torso, while in the final version, Ugolino is crawling on all fours. As stipulated in the decree dated 16 August 1880, *The Gates*, intended for the future Musée des Arts décoratifs, were to be a low-relief illustrating scenes from Dante's *Divine Comedy*. In the Fifth canto of *Hell*, Virgil takes Dante to the second circle where they discover all those who have committed the sins of the flesh, drifting in the wind. There they encounter Paolo and Francesca, two historical figures of the Middle Ages. Around 1275, Francesca, daughter of Guido da Polenta, was married to Gianciotto Malatesta da Rimini, who entrusted his young wife to his brother, the handsome Paolo. Paolo and Francesca realised that they were in love as they read the adventures of the knights of the Round Table and discovered the story of Lancelot and Guinevere. They were discovered by Gianciotto, who stabbed them. "Love led us to a single death," Dante has them say (V, 106). This forbidden love, and the eternal damnation that followed, became one of Rodin's favourite themes, as it had been for many other artists before him, particularly during the Romantic era. Delacroix, Étex, Croisy and Félicie de Fauveau depict the lovers as they are still sitting side by side in all modesty; Ingres and Coupin de La Couperie chose the moment of

Hugues – comme le fera Rodin lui-même dans des marbres plus tardifs – représentent leurs ombres flottant en Enfer[6].

Sur le vantail gauche de *la Porte de l'Enfer,* Rodin avait donc figuré, à la place du "marteau" comme le note Mirbeau en 1885, les amants célèbres au moment où ils prennent conscience de leurs sentiments. « Le corps jeune et charmant où l'artiste a réuni, comme à plaisir, toutes les beautés délicates et sensuelles de la femme, les bras noués au cou de l'amant, dans un mouvement à la fois passionné et chaste, s'abandonne aux étreintes et au baiser de Paolo, dont la chair frissonne de plaisir et dont la force de jeune athlète apparaît dans une musculature élégante et puissante... [7] » Leurs lèvres se touchent pour la première fois, et Paolo laisse tomber le livre qui a été le révélateur de leur amour. Mais les dimensions de *la Porte* étaient telles que, sitôt modelés en terre, les petits groupes qui lui étaient destinés, devaient en être détachés et acquéraient dès lors une existence indépendante ; dès le début de l'année 1882, Legros avait ainsi décrit au critique anglais, Henley, les "merveilles" de *la Porte*. « J'ai l'idée, proposa alors Henley à Rodin, de faire graver les groupes en ronde-bosse et de les publier dans mon numéro pour juillet prochain. Pour que je puisse le faire, il faudrait que vous m'en mandiez des photographies au plus vite » ; et, le 27 septembre suivant, il remerciait Rodin de la photographie de

6. *Cf.* exp. *Sventurati Amanti. Il mito di Paolo e Francesca nell' 800,* Rimini, museo della Città, 1994.

7. Octave Mirbeau, *la France,* 18 février 1885. Republié dans O. Mirbeau, *Des artistes,* coll. 10/18, 1986, p. 16.

11

the kiss; Cabanel represented Paolo and Francesca laid out, dead; and finally Ary Scheffer, Henri Martin and Hugues — as well as Rodin himself in later marbles — represented their shades floating in Hell.[6]

On the left panel of *The Gates,* Rodin positioned the famous lovers at the place of the "gate's door-knocker," as Mirbeau noted in 1885, depicted at the moment they discover their mutual love. "The young and charming body into which the artist has infused all the delicate and sensual beauty of woman, her arms thrown around the neck of her lover, in a movement that is both passionate and chaste, yields to the embrace and kiss of Paolo, whose flesh shudders with pleasure and whose elegant and powerful frame displays the strength of a young athlete. . ."[7] Their lips touch for the first time, and Paolo drops the book that revealed their love to them. But the dimensions of *The Gates* were such that once the small groups intended for the project were modeled in clay, they stood out and acquired an independent existence. Early in 1882, Legros had described the "marvels" of *The Gates* to the British art critic, Henley, who then suggested to Rodin: "I have thought of having engravings made of the groups in the round, and of publishing them in the July issue [of my magazine]. If this is to be done, you should send me photographs as soon as possible"; on

6. Cf. exhibition *Sventurati Amanti. Il mito di Paolo e Francesca nell' 800*, Rimini, museo della Città, 1994.

7. Octave Mirbeau, *La France,* 18 February 1885. Republished in O. Mirbeau, *Des artistes,* coll. 10/18, 1986, p. 16.

« Paolo et Francesca : cela m'a fait un effet extraordinaire. C'est tout bonnement un chef-d'œuvre que vous faites là, et je vous en félicite de tout cœur[8]. » La photographie dont il est question est fort probablement l'une de celles de Bodmer (cat. 13 et 14). En 1883, un écrivain anonyme signala de nouveau le groupe de Paolo et Francesca, « *a lovely and affecting group* », et, l'année suivante, Julia Cartwright l'évoquait en ces termes : c'est « l'instant même du baiser et cela avec à la fois tant de pureté et une telle recherche d'art et d'humanité[9] ».

Le début des années 1880 correspond en effet chez Rodin à une période de création intense pendant laquelle *la Porte* s'achemine vers son aspect presque définitif. Les figures, les groupes qui doivent y prendre place naissent les uns après les autres sous ses doigts, mais il cherche également ses idées le crayon à la main, et il dessine autant qu'il modèle : en mai 1883, il confie au critique Léon Gauchez que la lecture de Dante lui inspire des dessins qui sont des sortes de sculptures en puissance, dont le nombre s'explique par la recherche de la juste expression[10]. C'est de cette période, ou peut-être même avant, que l'on peut dater l'*Étreinte* (cat. 1), le *Couple enlacé* (fig. 1), d'ailleurs annoté « Françoise Paolo », ou la feuille qui représente *Dante se jetant dans les bras de Virgile* (cat. 2) : ces dessins s'inscrivent dans la même ambiance de création que la belle esquisse en terre cuite (cat. 5), que l'on peut

8. Henley à Rodin, Paris, arch. musée Rodin. La première lettre n'est pas datée. Je remercie vivement Ruth Butler de m'avoir signalé ces lettres ainsi que d'avoir relu ce manuscrit d'un œil critique qui lui a été très profitable.

9. « Current Art », *Magazine of Art*, VI (1883), p. 176, et « Francesca da Rimini », *Magazine of Art*, VII (1884), p. 139. Ces deux références sont données par Jacques de Caso et Patricia Sanders, *Rodin's Sculpture. A Critical Study of the Spreckels Collection*, The San Francisco Museum of Fine Arts, 1977, p. 153, note 17.

10. *Cf.* Claudie Judrin, *Dante et Virgile aux Enfers*, Paris, musée Rodin, 1983-1984, p. 5.

27 September, he thanked Rodin for the photograph of "Paolo and Francesca: it made an extraordinary impression on me. It is without a doubt a masterpiece you have created, and I congratulate you with all my heart."[8] The photograph in question is quite probably one of those by Bodmer (cat. 13 and 14). In 1883 an anonymous author described the Paolo and Francesca sculpture as "a lovely and affecting group", and the following year, Julia Cartwright wrote of "the very instant of the kiss, endowed with such a union of purity and passion of lofty art and intense humanity".[9]

For Rodin, the early 1880's corresponded to an intense creative period during which *The Gates of Hell* moved toward an almost definitive form. The figures, the groups that were intended to be included in it took shape one after another under his fingers, but he also sought ideas on paper and drew as much as he sculpted. In May 1883, he confessed to the critic Léon Gauchez that reading Dante inspired drawings that were "potential" sculpture, and that he made so many because he was seeking just the right expression.[10] The *Embrace* (cat. 1), the *Embracing Couple* (fig. 1), inscribed "Françoise Paolo", and the sheet representing *Dante Throwing Himself into the Arms of Virgil* (cat. 2) date from this period or just before. These drawings arise out of the same creative impulse as the

8. Henley to Rodin, Paris, archives of the Musée Rodin. The first letter is undated. I am most grateful to Ruth Butler for having drawn my attention to these letters and for having reread the manuscript which profited greatly from her critical eye.

9. "Current Art", *Magazine of Art*, VI (1883), p. 176, and "Francesca da Rimini", *Magazine of Art*, VII (1884), p. 139. These two references were given by Jacques de Caso and Patricia Sanders, *Rodin's Sculpture, A Critical Study of the Spreckels Collection*, The San Francisco Museum of Fine Arts, 1977, p. 153, note 17.

10. Cf. Claudie Judrin, *Dante et Virgile aux Enfers*, Paris, Musée Rodin, 1983-1984, p. 5.

fig. 1
Couple enlacé
Paris, musée Rodin
D. 5630

Embracing Couple
Paris, Musée Rodin
D. 5630

rapprocher, elle, du *Baiser* ou plutôt de sa première pensée, telle qu'on la distingue dans la maquette de *la Porte,* le corps de Francesca constituant une longue oblique qui glisse entre les jambes de Paolo. L'esquisse du musée des Beaux-Arts de Dijon (cat. 6) est en revanche différente tant par la composition, en arc de cercle, que par la présence de profondes incisions dans la terre qui précisent les divers éléments du groupe. Une troisième esquisse, faite de colombins de glaise à peine transformés, est conservée au musée Rodin (cat. 4). Il s'agit d'un modelage aussi expressif et rapide que les dix croquis rassemblés sur une même feuille dans lesquels Rodin a cherché à préciser la position des mains (cat. 7). La disposition des deux personnages y est plus proche de leur attitude définitive, l'accent étant mis sur la tendresse qui les unit, mais on peut s'étonner de la verticalité et de l'immobilité du groupe alors que *le Baiser* est caractérisé par une composition en spirale et que les deux autres terres donnent elles aussi l'idée d'un vif mouvement. Son authenticité ne fait pourtant aucun doute, ce qui n'est pas le cas d'autres esquisses – qu'il aurait été tentant d'inclure dans le cycle du *Baiser*[11].

11. Publiées comme telles par Albert E. Elsen dans le cat. de l'exp. *Rodin Rediscovered,* Washington, The National Gallery of Art, 1982, cat. nos 36 à 39.

En janvier 1886, Paolo et Francesca avaient toujours leur place dans *la Porte :* Félicien Champsaur décrit alors les battants divisés chacun « en deux panneaux séparés par un groupe. D'un côté, Ugolin ; de

14

beautiful terra cotta study (cat. 5), which itself is similar to *The Kiss* or rather to the first study of it, as it stands in the model for *The Gates.* In it, Francesca's body forms a long oblique line slipping between Paolo's legs. The study in the Musée des Beaux-Arts of Dijon (cat. 6) differs, however, in its circular composition and in the deep cuts in the clay that indicate the various elements of the group. A third study, made of barely modified clay cylinders, is in the Musée Rodin (cat. 4). It is a quick modeling, in an expressive style, similar in spirit to the ten sketches made by Rodin on the same sheet of paper and in which he strives to determine the position of the hands (cat. 7). The placement of the two figures is closer to the final arrangement; their mutual feelings of tenderness are emphasized, although the verticality and immobility of the group may seem odd, since *The Kiss* is characterized by a spiral composition, and the two other clay models also convey the idea of swift movement. The authenticity of the work, though, unlike that of some other sketches which it would have been tempting to include in the cycle of *The Kiss*, has never been in doubt. [11]

11. Published as such by Albert E. Elsen in the catalogue of the "Rodin Rediscovered" exhibition, Washington, The National Gallery of Art, 1982, cat. nos. 36 to 39.

In January 1886, Paolo and Francesca were still part of *The Gates;* at that time, Félicien Champsaur described the doors as being each divided "into two panels separated by a group. On the one side,

l'autre, Françoise de Rimini. Décharné comme un animal affamé, Ugolin se traîne sur les cadavres de ses fils. En face, comme antithèse, Françoise, en qui son créateur a mis toute la sensualité gracieuse de la femme, entoure de ses bras le cou du tendrement aimé[12]. » C'est néanmoins au cours de cette année 1886 que le couple dut être définitivement retiré de *la Porte,* parce qu'il était trop grand, dit Bartlett[13], parce que « Rodin choisit et choisit. Il élimina tout ce qui était trop solitaire pour se soumettre au grand ensemble, tout ce qui n'était pas absolument nécessaire dans cet accord », dira Rilke beaucoup plus tard[14]. Cet important groupe triangulaire aurait en effet occupé trop de place par rapport à Ugolin et ses enfants, et montré un état de pur bonheur qui était difficilement conciliable avec l'évocation de l'enfer. Paolo et Francesca restèrent cependant présents puisqu'un petit groupe les montre disposés à l'horizontale flottant « ensemble [...] et si légers dans le vent », selon le texte de Dante ; quant au *Baiser* il ne disparut pas entièrement non plus de son cadre d'origine : on en retrouve le souvenir – en sens inverse, car la femme est placée à gauche de l'homme – dans le couple qui constitue la base du piédroit de droite de *la Porte.* Pour ce couple, que l'on sent être la proie d'une passion dévastatrice, ce qui n'est pas le cas du *Baiser,* il existe deux petites esquisses (cat. 8 et 9) intéressantes à comparer, car la composition gagne considérablement en intensité en rétrécissant de quelques millimètres : le bras de

12. « Celui qui revient de l'Enfer : Auguste Rodin », *le Figaro,* supplément du 16 janvier 1886.

13. « Auguste Rodin, VII. The Door », *The American Architect and Building News,* 11 mai 1889, p. 224.

14. Rainer Maria Rilke, *Auguste Rodin* (1903), Paris, éditions Émile Paul frères, 1928, p. 71.

15 ———— ————

Ugolino; on the other, Francesca da Rimini. As emaciated as a starving animal, Ugolino crawls over the corpses of his sons. Francesca, by contrast, whom Rodin has endowed with all the graceful sensuality of woman, tenderly wraps her arms around the neck of her lover."[12] It was nevertheless in the same year, 1886, that the couple was definitively removed from *The Gates* because, according to Bartlett, it was too large,[13] and also, as Rilke wrote later, because "Rodin chose and chose again. He eliminated everything that was too singular to fit into the large ensemble, everything that wasn't absolutely necessary to this harmony."[14] Indeed, the large triangular group would have taken up too much space in relation to Ugolino and his children and would have shown a state of pure happiness that was hard to reconcile with the representation of Hell. Yet Paolo and Francesca remained: they are part of a small group, depicted in a horizontal composition floating "together . . . and so light in the wind," in Dante's words. *The Kiss* itself did not disappear entirely from its original settings: a trace of it — reversed, as the woman is placed to the left of the man — can be seen in the couple that forms the base of the pier to the right of *The Gates.* There are two small studies (cat. 8 and 9) for this couple, who appear to have fallen prey to a destructive passion — which is not really the case with *The Kiss.* It is interesting to compare them,

12. "Celui qui revient de l'Enfer : Auguste Rodin", *le Figaro,* supplement of 16 January 1886.

13. "Auguste Rodin, VII. The Door", *The American Architect and Building News,* 11 May 1889, p. 224.

14. Rainer Maria Rilke, *Auguste Rodin* (1903), Paris, Éditions Émile Paul frères, 1928, p. 71.

l'homme remonte et les têtes se rapprochent, cependant la largeur du champ disponible diminue elle aussi et de chaque côté, de même qu'en bas, les moulures qui forment encadrement sont interrompues pour laisser son entier développement au couple.

Il faut aussi rapprocher du *Baiser* plusieurs petits groupes créés en liaison avec *la Porte de l'Enfer* et dont certains furent exposés en 1889, à la galerie Petit. Ils frappèrent Geffroy et bien d'autres par le réalisme d'« attitudes nouvelles », la passion s'y exprimant non par l'anecdote mais d'une façon directe « par des os, par des muscles, par des nerfs, par tout l'organisme, le corps entier concourant au rendu intense[15] ». Charles Frémine reconnut des figures détachées de *la Porte*, « les Amants, les Amantes, la Mort des amants, etc., couples furieusement ou désespérément enlacés...[16] », tandis qu'Octave Maus admirait « l'originalité troublante » de ces accouplements que personne, à l'exception peut-être de Rops, n'avait encore osé traiter[17]. Ces groupes représentent souvent deux femmes s'embrassant, et il semble que ce soient les mêmes femmes aux membres nerveux, aux gestes aigus que l'on retrouve dans les *Femmes damnées* et *les Métamorphoses d'Ovide*, comme dans les *Femmes enlacées* (cat. 17) exposées en 1890, « une des belles variations [...] en plâtre sur le thème immortel du baiser, qui caractérisent [...] un côté si curieux du génie [de Rodin][18] », ou dans

15. Maurice Guillemot, 1889. Paris, musée Rodin, dossiers de presse.

16. *Le Rappel,* 23 juin 1889.

17. *L'Art moderne,* 1889, p. 3.

18. Armand Sylvestre, *Supplément illustré de l'Écho de Paris,* 15 mai 1890.

as the composition, shrunk by several millimeters, has gained a tremendous intensity: the man's arm rises and the heads are closer together, yet the width of the available field is also diminished, and on each side, as well as on the bottom, the mouldings that form the frame are broken up to leave room for the movement of the couple.

The Kiss must also be compared to several small groups created for *The Gates of Hell*, some of which were exhibited in 1889 at the Galerie Petit. Geffroy and many others were struck by the realism of the "new attitudes" and the passion expressed, not through anecdote, but directly "through bones, muscles, nerves, through the entire organism, with the entire body contributing to the intense rendering".[15] Charles Frémine recognized the figures detached from *The Gates*, "the Lovers, the Death of Lovers, etc., couples furiously or desperately entwined,"[16] while Octave Maus admired "the disturbing originality" of these couplings that no one, with the exception perhaps of Rops, had ever before dared to treat.[17] These groups often represent two women embracing. They seem to be the same women with sharp gestures and sinewy arms and legs who are depicted in *Damned Women* and *Ovid's Metamorphoses* as well as in *Embracing Women* (cat. 17) exhibited in 1890, "one of the beautiful variations . . . in plaster on the

15. Maurice Guillemot, 1889. Paris, Musée Rodin, press files.

16. *Le Rappel,* 23 June 1889.

17. *L'Art moderne,* 1889, p. 3.

l'*Idylle Roux* (cat. 18), qui, à l'origine, était composée de deux femmes : Antony Roux avait remarqué le groupe dès 1887 ; à l'automne de 1890, son désir d'en devenir propriétaire se précisa et, le 18 décembre 1890, il confirma à Rodin qu'il voulait acquérir « le groupe plein de passion où vous deviez changer une des deux femmes en homme ». Un bronze, conforme à ses exigences, lui fut remis l'année suivante et, comme convenu, le plâtre fut détruit [19].

Même si, jusqu'en janvier 1886 au moins, Rodin pensait inclure le groupe de Paolo et Francesca dans *la Porte,* il en existait donc depuis 1882 un état en ronde-bosse qui trouva son aspect définitif en 1886 au plus tard, et fut exposé en 1887 en tant qu'œuvre indépendante, de même qu'*Ugolin* qui lui, pourtant, devait rester intégré à *la Porte.* Le groupe de 1887, demi-nature, correspond au plâtre et à la terre cuite conservés au musée Rodin (cat. 11 et 12). Tous deux semblent provenir à l'origine d'un même moule, comme en témoignent les coupes placées aux mêmes endroits, leur différence de taille s'expliquant par le retrait de la terre, lors de la cuisson, qui peut atteindre jusqu'à dix pour cent [20]. Quant aux variations dans la base, dans la main droite de la femme, dans la chevelure de l'homme, dans son pied gauche, etc., n'oublions pas que le sculpteur avait toute possibilité de retravailler la terre encore fraîche, ce qui a visiblement eu lieu. Deux détails confirment cependant

19. Cf. les lettres d'Antony Roux à Rodin, Paris, arch. musée Rodin.

20. Je remercie Claude Hassan et Farid Kaci, qui travaillent sur les moules du musée Rodin, de l'aide qu'ils m'ont apportée en regardant ces plâtres avec moi et en me faisant profiter de leurs connaissances techniques.

17

immortal theme of the kiss, which characterize such a curious aspect of [Rodin's] genius," [18] or in the *Roux Idyll* (cat. 18), which was originally composed of two women. Roux noticed the group as early as 1887; in the autumn of 1890 he decided to purchase the work, and on 18 December 1890 he wrote to Rodin, confirming that he wanted to acquire "the group filled with passion in which you intended to change one of the two women into a man." A bronze, which complied with his wishes, was sent to him the following year and, as agreed, the plaster was destroyed. [19]

Rodin was still planning, until at least January 1886, to include the group of Paolo and Francesca in *The Gates*. Yet since 1882 there existed a sculpture in the round that was finished in 1886 at the latest, and was exhibited in 1887 as an independent work, as was *Ugolino*, which for its part would remain included in *The Gates*. The half-size group from 1887 corresponds to the plaster and terracotta in the Musée Rodin (cat. 11 and 12). Both seem to have been originally created from the same cast, which can be seen clearly from the breaks in the same places. The difference in size is due to shrinkage of the clay during firing, which can amount to as much as ten per cent. [20] The variations in the base, in the woman's right hand, in the man's hair, in his left foot and so on, are due to the fact that the artist had the

18. Armand Sylvestre, *Supplément illustré de l'Écho de Paris,* 15 May 1890.

19. Cf. the letters from Antony Roux to Rodin, Paris, archives of the Musée Rodin.

20. I wish to thank Claude Hassan and Farid Kaci, who work with the casts in the Musée Rodin, for the assistance they provided. We looked at these plasters together and they allowed me to benefit from their technical knowledge.

l'antériorité de la terre : la position des deux têtes qui, dans la terre cuite, sont légèrement distantes l'une de l'autre, de même que la main droite de l'homme ne fait qu'effleurer la cuisse de la femme. Dans le plâtre, en revanche, comme plus tard dans le marbre, les deux têtes sont rapprochées au point de se toucher, ainsi que la main et la cuisse : dans la première version du *Baiser,* expliqua Rodin à Vita Sackville-West, « la main de l'homme ne reposait pas sur la jambe de la femme, elle en était à environ deux centimètres. C'était plus respectueux[21]. » Il est fort possible que cet écartement soit dû au retrait de la terre à la cuisson ; cependant, Rodin le jugea intéressant et l'adopta comme sien : on le retrouve aussi, semble-t-il en effet, dans le plâtre exposé en 1887 et aujourd'hui à Milwaukee.

Rodin tenait tout particulièrement à la terre cuite : il la fit photographier par Bodmer (cat. 13 et 14), et c'est encore celle-ci qui servit de point de départ à la gravure de Léveillé illustrant le *Rapport du jury international, 2e partie. Beaux-Arts* rédigé par Bénédite après l'Exposition de 1900[22]. C'est néanmoins le plâtre qui fut exposé à Bruxelles, en septembre et octobre, tandis qu'en mai et juin à Paris, à la galerie Petit, rue de Sèze, avait été montré un bronze. Celui-ci (non localisé aujourd'hui) peut sans doute être identifié avec l'exemplaire qui appartint à Louis de Fourcaud[23] ; le 31 mai 1887, celui-ci rappelait en effet à Rodin :

21. *Journal* de lady Sackville-West. Cité par Frederick V. Grunfeld, *Rodin,* Paris, Fayard, 1988, p. 212.

22. Paris, 1904, p. 550.

23. Bronze, H. 89 ; L. 50, sans mention de signature. Vente Louis de Fourcaud, Paris, Hôtel Drouot, 29 mars 1917, n° 79, reproduit. Le bronze fut vendu 23 100 francs, plus du double de l'*Eve* qui figurait dans la même vente.

18

possibility to rework the clay while it was still wet, and obviously did. Two details, however, confirm the anteriority of the terracotta: the position of the two heads, which in the clay are slightly distant from each other; and the man's right hand, which merely brushes against the woman's leg. In the plaster however, as well as in the later marble, both heads are brought closer together, to the point of touching, as with the hand and the thigh. Rodin explained to Vita Sackville-West that, in the first version of *The Kiss*, "the man's hand was not resting on the woman's leg; it was about two centimeters from it. This was more respectful."[21] It is highly possible that this separation was due to shrinkage of the clay during firing; nevertheless, Rodin felt that it was interesting and decided to keep it this way; the same composition can be found in the plaster exhibited in 1887, which is now in Milwaukee.

Rodin was particularly fond of the clay work: he had it photographed by Bodmer (cat. 13 and 14), and it was used as the starting point for the Léveillé engraving illustrating the report of the international jury (part II, Fine Arts), written by Bénédite after the 1900 Exhibition.[22] Yet the plaster was exhibited in Brussels in September and October, while the bronze was shown in May and June in the Galerie Petit on the Rue de Sèze in Paris. This work (its location is not known today) is the same as the piece that belonged to Louis de Fourcaud.[23]

21. The *Journals* of Lady Sackville-West. Quoted by Frederick V. Grunfeld, *Rodin,* Paris, Fayard, 1988, p. 212.

22. Paris, 1904, p. 550.

23. Bronze, 89 x 50, unsigned. Louis de Fourcaud sale, Paris, Hôtel Drouot, 29 March 1917, no. 79, reproduced. The bronze was sold for 23,100 francs, more than double the price of the *Eve* that was also in the same sale.

« J'attends obstinément votre fondeur pour lui remettre un acompte et je ne le vois pas. Ayez l'obligeance de lui rappeler mon adresse et de le prier de venir au plus tôt. N'étant pas cousu d'or, j'ai grand hâte de verser entre ses fortes mains la somme mise en réserve pour lui. Je n'ai pas à vous redire, mon cher Rodin, combien la pensée que j'aurai bientôt chez moi votre admirable groupe me comble de joie. Plus je le vois, plus j'en suis émerveillé : cela me frappe, me touche et m'emporte au plus vif de moi-même. Vous êtes un maître dans la grande acception du mot, mon vieux Rodin, et je m'honore d'avoir été des premiers à le proclamer. Votre ami[24]. » Le fondeur envoya sa facture quelques jours plus tard. Elle était plus élevée que le prix qu'il avait indiqué d'abord, et Fourcaud demanda à Rodin « de faire une observation à ce Rudier-là [il s'agit de François Rudier] que j'ai trouvé un peu rustre... » Fourcaud souhaitait également que Rodin signât le groupe : « L'absence de signature peut causer dans l'avenir de fausses attributions. Quand je pense à vous, mon cher Rodin, je ne pense pas seulement au présent, mais aussi au lointain avenir qui admirera vos œuvres[25]. » Mais il faisait remarquer que la signature était plus difficile à apposer une fois que le bronze avait quitté la fonderie, et en effet, le groupe ne fut pas signé : il fut acheté à la vente Fourcaud par le marchand Knoedler qui, avant de l'exporter en Amérique, demanda à Rodin de le signer et d'attester qu'il s'agissait bien de l'original[26].

24. Paris, arch. musée Rodin.

25. 8 juin 1887. Paris, arch. musée Rodin.

26. Hamman, pour Knoedler, à Rodin, 31 mars 1917 ; à Bénédite, 6 avril 1917. Paris, arch. musée Rodin.

19

On 31 May 1887, the latter had written to Rodin. "I am persistently awaiting your bronze-founder to give him an advance and I have not seen him. Please be kind enough to give him my address and ask him to come as soon as possible. As I am not rolling in money, I am anxious to place in his powerful hands the money I have set aside for him. I do not have to tell you again, my dear Rodin, how happy I am at the thought that I will soon have your admirable group. The more I see it, the more I marvel at it: it strikes me, moves me and carries me to the deepest part of myself. You are a master in the greatest meaning of the word, my dear old Rodin, and I am proud to have been one of the first to say so. Your friend."[24] The founder sent his invoice several days later. It was more expensive than initially agreed and Fourcaud asked Rodin to "reprove this Rudier fellow [this was François Rudier], whom I found somewhat boorish. . ." Fourcaud also wanted Rodin to sign the group. "The lack of a signature could, in the future, result in false attributions. When I think of you, my dear Rodin, I am thinking not only of the present, but also of those in the distant future who will admire your works."[25] But he noted that the signature was harder to stamp once the bronze had left the foundry, and indeed the work was not signed; it was purchased at the Fourcaud sale by the art dealer Knoedler, who — before sending it to America — asked Rodin to sign it and certify that it was the original.[26]

24. Paris, archives of the Musée Rodin.

25. 8 June 1887. Paris, archives of the Musée Rodin.

26. Hamman, for Knoedler, to Rodin, 31 March 1917; to Bénédite, 6 April 1917. Paris, archives of the Musée Rodin.

fig. 2
le Baiser
bronze, 1887
ancienne collection Louis
de Fourcaud, vente Paris, Drouot,
29 mars 1917, n° 79

The Kiss
bronze, 1887
sale of the former collection of
Louis de Fourcaud, Paris, Drouot,
29 March 1917, no. 79

20

fig. 3
Françoise de Rimini
plâtre, 1887
Milwaukee Art Center

Francesca da Rimini
plaster, 1887
Milwaukee Art Center

27. En dehors du S. 2834 (cat. 11), le musée Rodin possède deux autres plâtres : le S. 3960 qui est identique au premier et a sans doute été réalisé pour l'édition de bronzes par le musée, et le S. 3460 dont la base est différente et qui semble avoir pu servir à l'édition de bronzes du type de celui de la collection Matsukata à Tokyo. On connaît également un plâtre patiné qui figura à l'exp. *Statues pour un jardin*, Vaumoise, donjon de Vez, 1993, n° 8, et un plâtre autrefois dans la collection Gerald B. Cantor (exp. *Homage to Rodin, Cantor Collection*, Los Angeles County Museum of Art, 1967, n° 33). Un autre plâtre appartint à Albert Besnard (vente des 8-9 avril 1935, Paris, Hôtel Drouot, n° 181) : est-ce l'œuvre que celui-ci obtint en échange de l'une de ses toiles (Besnard à Rodin, 5 février 1886. Paris, arch. musée Rodin) ? Si l'échange eut réellement lieu à cette date, et si ce plâtre – ou plutôt cette terre cuite – est bien celui qui se trouve aujourd'hui au musée national des Beaux-Arts de Buenos Aires (H. 78) comme le dit Patricia Sanders (*Metamorphoses in 19th-Century Sculpture*, édité par Jeanne L. Wasserman, Cambridge, Fogg Art Museum, 1975, p. 168), il semble qu'il pourrait s'agir d'un exemplaire proche de la terre cuite du musée Rodin.

28. Paris, arch. musée Rodin.

29. Non signé, H. 86,4 ; L. 52,1 ; P. 59,1. Don de Mrs. Will Ross en 1966 qui l'avait acquis à la Peridot Gallery de New York en 1964. De Paul De Vigne, le plâtre était passé à sa femme puis au fils né d'un premier mariage de celle-ci, Daniel Coppieters de Gibson, avocat à Bruxelles. Je remercie très vivement Mme Élisabeth Fernandez-Gimenez des renseignements qu'elle m'a donnés sur ce plâtre.

Le bronze de Fourcaud (fig. 2), reproduit dans le catalogue de la vente de 1917, était identique au plâtre conservé au musée Rodin (cat. 11) ainsi d'ailleurs qu'à un certain nombre de plâtres aujourd'hui dispersés [27]. L'un de ceux-ci devrait être celui qui fut présenté à Bruxelles ; on sait qu'il avait causé un « véritable enchantement » au sculpteur belge Paul De Vigne (1843-1901), à tel point que celui-ci avait demandé à Rodin de lui en donner une épreuve : « Voulez-vous me dire si cela se peut ? » lui écrivait-il le 8 octobre 1887. Le 6 novembre il demanda aux emballeurs d'attendre l'ordre formel de Rodin pour réexpédier le plâtre à Paris, et le 30 du même mois il remercia chaleureusement Rodin : « Je devais vous écrire depuis plusieurs jours pour vous dire que votre *Francesca rayonne* dans mon atelier. Je deviens tous les jours plus enthousiaste de cette œuvre. Merci de tout cœur pour ce beau souvenir de vous [28]. » Le plâtre resta donc chez Paul De Vigne, pour aboutir, après être passé de main en main, au Milwaukee Art Center [29] (fig. 3). Différent du bronze de Fourcaud et donc du plâtre S. 2834 du musée Rodin (cat. 11), ce plâtre semble plus proche d'un autre plâtre du musée Rodin (S. 3460), en ce qui concerne le traitement de la base en particulier, constituée de volumes aux arêtes plus sèches. En 1887, Rodin reconnaissait donc au moins trois *Baiser*, les deux versions exposées à Paris et à Bruxelles et la terre cuite, très proches les uns des autres mais pas absolument identiques !

27. Aside from S. 2834 (cat. 11), the Musée Rodin has two other plasters: S. 3960, which is identical to the first and was certainly made for the series of bronzes cast by the museum; and S. 3460, which has a different base and seems to have been used for the series of bronzes like those in the Matsukata collection in Tokyo. Another known work is a patinated plaster which was in the "Statues pour un jardin" exhibition in the Vez keep, Vaumoise, 1993, no. 8, and a plaster formerly in the collection of Gerald B. Cantor (exhibition "Homage to Rodin, Cantor Collection", Los Angeles County Museum of Art, 1967, no. 33). Another plaster belonged to Albert Besnard (sales of 8-9 April 1935, Paris, Hôtel Drouot, no. 181). Is this the work that he exchanged for one of his paintings (Besnard to Rodin, 5 February 1886, Paris, archives of the Musée Rodin)? If the exchange actually occurred on this date, and if this plaster — or rather this terracotta — is actually the work that is now in the National Fine Arts Museum of Buenos Aires (78 cm high), as stated by Patricia Sanders (*Metamorphoses in 19th-Century Sculpture*, edited by Jeanne L. Wasserman, Cambridge, Fogg Art Museum, 1975, p. 168), it seems that this could be a copy similar to the terracotta in the Musée Rodin.

28. Paris, archives of the Musée Rodin.

29. Unsigned, 86.4 x 52.1 x 59.1. Gift of Mrs. Will Ross in 1966, who acquired the work from the Peridot Gallery in New York in 1964. The plaster went from Paul De Vigne to his wife, then to her son from a first marriage, Daniel Coppieters de Gibson, a lawyer in Brussels. I would like to thank Mme. Élisabeth Fernandez-Gimenez for the information she provided concerning this plaster.

The Fourcaud bronze (fig. 2) reproduced in the catalogue of the 1917 sale was identical to the plaster in the Musée Rodin (cat. 11) as well as to a number of other plasters that are now scattered. [27] One of these must be the work that was exhibited in Brussels; we know that it "enchanted" the Belgian sculptor Paul De Vigne (1843-1901), so much that he asked Rodin to give him a proof. "Can you tell me if this is possible?" he wrote on 8 October 1887. On 6 November he asked the packers to wait for the formal order from Rodin to reship the plaster to Paris, and on 30 November, he thanked Rodin warmly. "I should have written to you several days ago to tell you that your *Francesca is shining out* across my studio. Every day I am more enthusiastic about the work. I thank you with all my heart for this wonderful memory of you." [28] The plaster remained with Paul De Vigne, then changed hands numerous times before ending up at the Milwaukee Art Center (fig 3). [29] Different from the Fourcaud bronze and therefore from the plaster work in the Musée Rodin (S. 2834, cat. 11), this plaster seems to be closer to another plaster in the Musée Rodin (S. 3460), particularly with respect to the treatment of the base, which is composed of sharper-edged volumes. So in 1887 Rodin acknowledged at least three versions of *The Kiss*: the two exhibited in Paris and Brussels and the terracotta, all very similar to each other, but not absolutely identical!

Le Baiser (1887-1898)

Lors des deux expositions de 1887, les critiques avaient suggéré que le groupe reçoive le titre qu'il porte effectivement depuis lors : *le Baiser*. Rodin l'adopta sans doute très vite, puisque dès septembre 1887 le fondeur Griffoul et Lorge livra un « groupe *Baiser* » pour 400 francs. Au mois de mars de l'année suivante, il factura deux « grands groupes *Baiser* », à 650 francs chaque, et encore en janvier 1891 un « groupe *Baiser* », livré en juillet précédent, à 500 francs « pour cette fois »[30]. Le premier est sans doute celui que Rodin remit au peintre Alfred Roll en échange de la grande *Paysanne gardant ses vaches* toujours conservée au musée Rodin[31]. L'un des suivants pourrait correspondre à l'exemplaire qui appartint à Roger Marx : dans une lettre non datée, mais que l'on peut situer dans la seconde moitié de l'année 1888, car il y est aussi question du projet de monument à Castagnary (mort en mai 1888), Roger Marx rappelle à Rodin qu'il a « toujours prêts les 650 francs montant de la fonte de votre beau groupe et ce me serait un soulagement de m'être acquitté envers le fondeur[32] ». Mais il convient de rester très prudent en raison de la différence des prix indiqués par le fondeur : *le Baiser* n'existait à cette date que dans la taille originale, demi-nature, et il est possible que dans un cas au moins il s'agisse d'un autre groupe.

30. Paris, arch. musée Rodin.

31. *Cf.* Rodin, *Correspondance* I, 1985, lettres 90, 99, 100 et 101. Le bronze aurait été vendu chez Georges Petit en 1924.

32. Paris, musée Rodin. Ce bronze, signé « Rodin », H. 89, L. 52, fut inclus dans la vente de la collection Roger Marx qui eut lieu à la galerie Manzi-Joyant à Paris les 11 et 12 mai 1914 (n° 249). Il fut vendu 20 300 francs, et n'est pas localisé aujourd'hui.

22

The Kiss (1887-1898)

During the two exhibitions in 1887, the art critics suggested that the group should be given the name it has had ever since: *The Kiss.* Rodin probably adopted this name very quickly, since as early as September 1887 the founder Griffoul et Lorge delivered a "*Kiss* group" for 400 francs. In March of the following year, he invoiced two "large *Kiss* groups" for 650 francs each, and in January 1891 another "*Kiss* group", delivered the previous July for 500 francs, "just for this one time".[30] The first is certainly the work that Rodin gave to the painter Alfred Roll in exchange for the large *Peasant Tending Her Cows*, which is still in the Musée Rodin.[31] One of the following may correspond to the piece that belonged to Roger Marx: in a letter that is undated, but assignable to the second half of 1888 — since it also mentions the project for a monument to Castagnary (who died in May of 1888) — Roger Marx reminds Rodin that he "still has the 650 francs waiting, the amount to cast your beautiful group, which I would be relieved to pay to the founder."[32] Yet we must remain very cautious because of the difference in price indicated by the founder: *The Kiss* only existed at this time in its original, half life-, size and it is possible that at least in one case, the letter refers to another sculpture.

30. Paris, archives of the Musée Rodin.

31. Cf. Rodin, *Correspondance* I, 1985, letters 90, 99, 100 and 101. The bronze would have been sold by Georges Petit in 1924.

32. Paris, Musée Rodin. This bronze, signed "Rodin", 89 x 52, was included in the sale of the Roger Marx collection that was held in the Galerie Manzi-Joyant in Paris on 11 and 12 May 1914 (no. 249). It was sold for 20,300 francs. Its location is not currently known.

On ne saurait s'étonner que Roger Marx eût acquis un exemplaire du *Baiser* car il avait usé de toute son influence pour obtenir que l'État en commandât l'agrandissement en marbre (cat. 21). La commande avait été proposée par Castagnary, alors directeur des Beaux-Arts, au ministre de l'Instruction publique et des Cultes, le 21 janvier 1888[33]. Elle fut confirmée par l'arrêté du 31 janvier et notifiée à Rodin le 4 février mais, dès le 2, Roger Marx lui avait télégraphié que « la commande du *Baiser* était passée, telle qu['il] l'avai[t] proposée[34] » et une lettre de Rodin, non datée, semble faire allusion à une discussion sur le choix de la pièce qui ferait l'objet de cette commande : « Je suis toujours décidé pour le groupe marbre un peu plus grand que nature du *Baiser* », écrit-il à Roger Marx[35]. Rodin avait sans doute hésité en raison du peu de temps dont il disposait pour l'exécuter : ainsi que le précisait Castagnary dans son rapport du 21 janvier, l'œuvre devrait figurer à l'Exposition Universelle de 1889. Mais l'artiste recevrait 20 000 francs, somme importante, et un bloc de marbre était mis à sa disposition.

Dès le 7 février une note signale que parmi les blocs disponibles au Dépôt des marbres un seul pouvait convenir, le n° 221, fourniture Nicoli : « Les praticiens et les jaugeurs convoqués par M. Rodin en ont trouvé les dimensions justes, mais suffisantes. » Le bloc fut attribué à

33. Paris, Arch. nat. F/21 2109.

34. Paris, arch. musée Rodin.

35. Rodin, *Correspondance,* I, 1985, lettre n° 109. Pour cette lettre est proposée la date : « peu après le 4 février 1888 » ; mais il nous paraît plus probable qu'elle est antérieure à la commande officielle.

23

It is not surprising that Roger Marx acquired a copy of *The Kiss*; he had brought all his influence to bear to convince the government to commission a larger marble copy (cat. 21). The commission was proposed by Castagnary, then director of the Beaux-Arts, to the ministry of public education and religious affairs, on 21 January 1888.[33] It was confirmed by a decree dated 31 January and sent to Rodin on 4 February, but as early as 2 February, Roger Marx telegraphed Rodin that "the commission for *The Kiss* was approved as I proposed it,"[34] and an undated letter from Rodin seems to allude to a discussion concerning the selection of the work to be commissioned. "My mind is still set on the slightly larger-than-life-size marble group of *The Kiss*," he wrote to Roger Marx.[35] Rodin probably hesitated because he did not have much time to complete the work. As Castagnary wrote in a report dated 21 January, the work was to be shown at the Universal Exhibition of 1889. The artist was to receive 20,000 francs, which was a great deal of money, and he was provided with a block of marble.

By February 7, a note indicates that among the blocks available at the Dépôt des marbres, only one piece would do, no. 221, supplied by Nicoli. "The assistants and gaugers convened by Mr. Rodin thought that the dimensions were small, but sufficient." The block

33. Paris, National archives, F/21 2109.

34. Paris, archives of the Musée Rodin.

35. Rodin, *Correspondance,* I, 1985, letter no. 109. The date "slightly after 4 February 1888" has been proposed, but we think it is more likely that it predates the official commission.

Rodin par arrêté du 18 février et l'artiste en prit livraison le 12 mars[36]. Ayant bien conscience du court délai dont il disposait, il se mit immédiatement au travail et fit appel pour la pratique au sculpteur Jean Turcan (1846-1895), dont *l'Aveugle et le Paralytique,* exposé en plâtre au Salon de 1883, avait été commandé en marbre pour le musée du Luxembourg où il entra après avoir figuré au Salon de 1888, puis à l'Exposition Universelle de 1889. Turcan travailla au *Baiser* à partir du groupe de 1886, sans l'intermédiaire d'un agrandissement en plâtre, ainsi qu'on le voit bien sur le tableau de Charles Weisser conservé à Nogent-sur-Seine, *l'Atelier de Rodin en 1888* (cat. 19). Ce passage direct d'un modèle de dimensions moyennes à une pierre ou un marbre deux ou trois fois plus grand n'avait rien que d'ordinaire au XIXe siècle pour les œuvres monumentales ; cependant, si l'on en croit Edmond de Goncourt, Rodin, à cette date, n'était pas habitué à travailler ainsi : « Rodin m'avoue que les choses qu'il exécute, pour qu'elles le satisfassent complètement, quand elles sont terminées, il a besoin qu'elles soient exécutées tout d'abord dans leur grandeur dernière, parce que les détails qu'il y met à la fin enlèvent du mouvement et que ce n'est qu'en considérant ces ébauches dans leur grandeur nature et pendant de longs mois, qu'il se rend compte de ce qu'elles ont perdu de mouvement [...]. Il me dit cela à propos de la commande que vient de lui faire le gouvernement du *Baiser,* et qui doit être exécutée en marbre dans

36. Paris, Arch. nat. F/21 2109.

24

was attributed to Rodin by a decree dated 18 February and the artist received it on 12 March.[36] As he was perfectly aware of the time limit, he immediately set to work, and he asked an assistant, Jean Turcan, to do the large marble sculpture; Turcan (1846-1895) was the sculptor of the plaster *Blind Man and Paralytic,* exhibited at the Salon of 1883, which had been commissioned in marble for the Musée du Luxembourg. It entered the museum after it was shown in the Salon of 1888, then the Universal Exhibition of 1889. Turcan worked on *The Kiss* using the 1886 sculpture, without the intermediary step of a plaster enlargement, as we can see in the painting by Charles Weisser now in Nogent-sur-Seine, called *Rodin's Studio in 1888* (cat. 19). This direct passage from an average-size model to a stone or marble two or three times larger was common practice in the nineteenth century for monumental works; nevertheless, according to E. de Goncourt, "for Rodin to be completely satisfied with his finished works, he first requires that they should be made in their final size, because the details he adds at the end diminish the movement and it is only by observing these full-scale rough models for several months that he realizes what they have lost in movement. . . . He told me this in relation to the commission he has just received from the government for *The Kiss*, which has to be made in a larger-than-life-size marble, and which

36. Paris, National archives, F/21 2109.

une figure plus grande que nature, et qu'il n'aura pas le temps de préparer à sa manière » (*Journal*, 26 février 1888). Cette réflexion de Rodin vaut la peine d'être soulignée car, par la suite, il prit l'habitude de concevoir ses marbres sous forme de maquettes de toute petite taille qui n'étaient agrandies que lors de l'exécution du marbre, l'agrandissement devenant d'ailleurs en lui-même un procédé de création.

Turcan semble avoir beaucoup avancé le marbre en 1888 et au début de 1889, au point qu'une série de photographies fut bientôt réalisée (cat. 20 et 22 à 26). Rodin posa à côté du marbre sur l'une d'entre elles, et il apparaît jeune encore sur cette image [37] où l'on croit reconnaître l'atelier aux trois barres horizontales fixées au mur qu'il avait loué en 1885 pour exécuter *les Bourgeois de Calais* [38] : c'est très probablement l'atelier du 117, boulevard de Vaugirard qu'il quitta à la fin de l'année 1890, et quelques lettres de Turcan conservées au musée Rodin confirment que c'est bien là en effet que fut commencé *le Baiser*. Or dans la dernière de ces lettres, datée du 16 juin 1889, Turcan annonce qu'il ne pourra revenir de sitôt : on peut imaginer que la photographie est antérieure de quelques mois, qu'elle fut prise alors que Rodin espérait encore pouvoir envoyer son marbre à l'Exposition Universelle qui ouvrit le 6 mai : à la fin de 1888 ou au début de 1889, *le Baiser* aurait donc été « aux trois quarts fait », ce qui avance nettement la date de sa

37. Reproduite dans Léon Maillard, *Auguste Rodin statuaire*, Paris, 1898, p. 19.

38. Je remercie vivement Hélène Pinet et Sylvester Engbrox qui m'ont fait profiter de leur connaissance du fonds photographique du musée pour essayer de localiser – et donc de dater – les photographies du *Baiser*.

25

he will not have enough time to prepare in his usual way." (*Journal*, 26 February 1888). This comment by Rodin deserves attention, because later he began to design his marbles using very small models that were enlarged only in the process of carving the marble; the enlargement itself became a creative process.

Turcan seems to have made enough progress on the marble in 1888 and early 1889 that a series of photographs were taken (cat. 20 and 22 to 26). In one, Rodin is standing next to the marble; he still looks young in this photograph [37] where we can recognize the studio with three horizontal bars on the wall, which he rented in 1885 to make *The Burghers of Calais* [38]. This is probably the studio at 117, Boulevard de Vaugirard, which he left at the end of 1890. A few letters from Turcan in the Musée Rodin confirm that *The Kiss* was indeed begun here. In the last of these letters, dated 16 June 1889, Turcan states that he will not be able to return anytime soon. We can guess that the photograph was taken several months earlier when Rodin still hoped to be able to send the marble to the Universal Exhibition that was opening on 6 May. By the end of 1888 or early in 1889, *The Kiss* must thus have been "about three-quarters done", which means that the date of its completion is much earlier than previously believed. Until now the date had been determined

37. Reproduced in Léon Maillard, *Auguste Rodin statuaire*, Paris, 1898, p. 19.

38. I would like to extend my grateful thanks to Hélène Pinet and Sylvester Engbrox who shared their knowledge of the museum's photographic collections to locate — and therefore date — the photographs of *The Kiss*.

réalisation puisque jusqu'ici on se fondait sur la demande d'inspection que fit Rodin le 14 novembre 1893, inspection qui confirma que le travail avait en effet atteint ce stade, ce qui eut pour conséquence le versement à l'artiste de 15 000 francs, c'est-à-dire les trois quarts du prix convenu [39]. Ce rythme de travail correspond bien d'ailleurs à ce que l'on observe chez Rodin, de *la Porte de l'Enfer* au *Monument à Whistler* : toute nouvelle commande l'enthousiasme, et il s'y donne impétueusement, mais il a toutes les peines du monde ensuite à la mener à son terme, si même il y parvient ! Notons aussi qu'il avait reçu la commande du *Monument à Victor Hugo* pour le Panthéon le 16 septembre 1889, et que celui-ci devait occuper désormais toutes ses pensées.

Les admirables photographies de Druet qui nous restituent l'atmosphère de l'atelier dans un clair-obscur qui donne vie à la sculpture (cat. 27 à 29) sont plus tardives puisqu'elles ont été prises au Dépôt des marbres, rue de l'Université. *Le Baiser* eut neuf ans de retard : c'est en effet au Salon de la Société nationale des Beaux-Arts de 1898 qu'il fut montré pour la première fois sous le n° 151 (cat. 30 à 32), en même temps que le grand modèle du *Balzac*. Rodin ne l'avait pas véritablement terminé – à cause de la mort de Turcan ? Le marbre présente, certes, des défauts qui obligèrent à mettre des pièces (par exemple dans le dos de l'homme ou à l'extrémité de ses doigts),

39. Paris, Arch. nat. F/21 2109. Le solde fut versé le 10 mars 1902.

on the basis of Rodin's request on 14 November 1893 to have the work inspected; on confirmation that the work had in fact reached this stage, the artist received a payment of 15,000 francs, in other words, three-quarters of the agreed sum. [39] Indeed, this pace of work corresponds to Rodin's practice, from *The Gates of Hell* to the *Monument to Whistler:* he was enthusiastic about every new commission and threw himself into the work, but he had great difficulty in finishing his projects — assuming he ever managed to do so! He had, furthermore, received the commission for his *Monument to Victor Hugo* for the Pantheon on 16 September 1889 and this project henceforth absorbed all his energy.

The admirable photographs by Druet recreate the atmosphere of the studio with a chiaroscuro effect that brings the sculptures to life (cat. 27 to 29). These are more recent than the others since they were taken in the Dépôt des marbres, on the Rue de l'Université. *The Kiss* was nine years late: it was exhibited for the first time at the Salon de la Société nationale des Beaux-Arts in 1898, under the number 151 (cat. 30 to 32), along with the large version of *Balzac*. Rodin had not completely finished it — perhaps due to Turcan's death? The marble had certain flaws that required patches (for example on the man's back or the tips of his fingers), but we can also

39. Paris, National archives, F 21/ 2109. The remaining amount was paid on 10 March 1902.

fig. 4
le Baiser
marbre, 1888-1889, détail

The Kiss
marble, 1888-1889, detail

mais on constate aussi que les points de basement n'ont pas été retirés, que la chevelure de l'homme garde un caractère d'ébauche, et que les corps sont parsemés d'innombrables petits trous qui correspondent aux repères faits à la sonde pour l'approche du modelé (fig. 4). Rodin n'exécutait pas ses marbres lui-même, mais il en surveillait étroitement la réalisation et il interrompit la taille du groupe avant que ne fût atteint le niveau du plâtre. Pour une œuvre destinée à un public habitué à une finition parfaite, il est étonnant que ces petits trous n'aient pas été dissimulés, or ils sont aussi visibles sur les photographies prises au Salon qu'actuellement au musée Rodin ! *Le Baiser* n'est d'ailleurs pas signé, ce qui est étonnant pour une œuvre remise par Rodin à l'État qui l'avait commandée.

C'est au Salon de 1898 que fut également présenté le grand modèle en plâtre du *Balzac.* Celui-ci suscita un violent tollé de la part de la critique et du public. Rodin s'y attendait certainement et, sans doute, exposa très volontairement les deux œuvres ensemble : « En même temps que M. Rodin, plus assuré dans sa route, encouragé par la gloire et le respect de l'élite, se risquait à montrer les œuvres directement régies par [un nouveau] principe simple et inusité, il leur accolait, pour écarter les accusations faciles de négligence et d'ignorance, ces petits groupes en marbre de son ancienne manière, si

see that the basement points were not removed, that the man's hair still looks only roughed out and that the body is covered with numerous tiny holes which correspond to the marks made by the probe to determine the relief (fig. 4). Rodin did not carve his own marbles, but he would oversee the work closely and he stopped work on this before the plaster stage had been reached. It is surprising that in a work intended for a public used to a perfect finish in artwork, these small holes were not concealed, but they are as clear on the photographs taken during the Salon as they are today in the Musée Rodin! Moreover *The Kiss* is not signed, which is odd for a work delivered by Rodin to the State who had ordered it.

The large plaster model of *Balzac* was also exhibited at the 1898 Salon. The critical and public outcry against this work was violent. Rodin was certainly expecting this reaction and probably made a calculated choice to exhibit these two works together. "While Mr. Rodin, more confident in his own chosen way, encouraged by the fame and respect from the elite, took the risk of showing works directly governed by a [new] simple and unusual principle, he placed next to them — to ward off accusations of negligence and ignorance — these small marble groups executed in his earlier style, a style so satisfying in its perfection, its finish and its skill, for both

parfaits, si savants, si finis pour le badaud comme pour le professionnel habile. C'est ainsi qu'en face du *Balzac*, il fit placer *le Baiser*, cette belle chose dont on vit jadis l'esquisse et qui nous revient terminée en marbre. C'était donner une leçon discrète et silencieuse au public, aux confrères et aux critiques, leur montrer l'étape parcourue, les assurer que pour modifier ainsi, à son âge, dans l'état de sa haute situation, tous les principes de son travail, l'artiste avait cédé à des raisons profondes...[40] »

Avec *le Baiser* Rodin avait renoncé à la facilité des sujets pittoresques, littéraires, allégoriques, etc. qui, en distrayant l'esprit du spectateur, le détournent de la représentation elle-même et affaiblissent donc la force de l'émotion que peut susciter celle-ci : « L'observation n'est sacrifiée à nul effet de rhétorique, nulle vague intention littéraire, nulle illustration insuffisante ne prennent la place de la vie animée. [...] Les conditions de temps et de lieu ont été supprimées. [...] Le sculpteur n'a pas seulement enlevé les vêtements d'une époque aux deux êtres choisis par lui, il a dénudé aussi la pensée du poète, il n'a gardé de sa conception que la signification idéale. » Geffroy qui commenta longuement *le Baiser* dans sa préface au catalogue de l'exposition *Monet-Rodin* de 1889 alors que le groupe n'était pas exposé cette année là, avait bien compris la nou-

40. Camille Mauclair, « La technique de Rodin », *Auguste Rodin et son œuvre,* numéro spécial de *la Plume*, Paris, 1900, p. 24.

the professional and the curious onlooker. Next to *Balzac*, therefore, he placed *The Kiss*, this beautiful object that we had seen earlier in a rough form and that is now returned to us, finished, in marble. He thus gave a subtle and quiet lesson to the public, his fellow artists and the critics, demonstrating his development and assuring them that the artist had profound reasons to change in this way, at his age, and with his stature, all the principles of his work. . ."[40]

After *The Kiss*, Rodin renounced the facility of picturesque, literary and allegorical subjects which, by distracting the minds of the viewers, distracted them from the representation itself, and therefore weakened the strength of the emotion the work inspired. "Observation is not sacrificed to some rhetorical effect, to some vague literary intent, to some inadequate illustration taking the place of animated life. . . . The conditions of time and place have been eliminated. . . . The sculptor has not only removed period clothing from the two figures he selected; he has also stripped and revealed the thoughts of the poet, keeping only the ideal meaning in his design." Geffroy discussed *The Kiss* at length in his preface to the catalogue for the "Monet-Rodin" exhibition in 1889, although the group had not been exhibited that year. He had well understood the

40. Camille Mauclair, "La technique de Rodin", *Auguste Rodin et son œuvre,* special issue of *la Plume*, Paris, 1900, p. 24.

veauté de cette absence de sujet, au sens traditionnel du terme. Le nouveau titre de *Baiser*, ce qu'elle représentait en effet, au lieu d'un *Françoise de Rimini* que rien ne justifiait, rendit l'œuvre extrêmement suggestive et fut en partie la cause de son succès auprès d'un public peu habitué à une liberté qui aujourd'hui ne retiendrait plus l'attention de quiconque.

Du point de vue formel en revanche, *le Baiser* est beaucoup plus traditionnel et, face à ce monolithe qu'est le *Balzac*, dont toute la force d'expression est concentrée dans le visage traité de façon presque expressionniste, il témoignait d'une science de la composition rassurante pour des yeux habitués à l'habileté des élèves de l'École des Beaux-Arts : les deux corps s'enlacent l'un à l'autre en une double spirale apparente surtout lorsqu'on les isole l'un de l'autre (*Torse masculin du Baiser,* cat. 15). Le public porta donc aux nues *le Baiser* et s'appuya sur lui pour critiquer le *Balzac :* visitant le Salon, le président de la République, Félix Faure, l'admira longuement, tournant ostensiblement le dos au *Balzac.* « De toutes ces qualités merveilleuses d'un chef-d'œuvre, on s'ingénie à faire des arguments contre un autre chef-d'œuvre », notait avec perspicacité Albert Mockel[41]. Cependant Rodin lui-même avait conscience des progrès qu'il avait faits de l'un à l'autre : « Sans doute l'enlacement du *Baiser*

41. « Le *Balzac* et *le Baiser* de Rodin », *Auguste Rodin et son œuvre*, numéro spécial de *la Plume*, Paris, 1900, p. 10.

innovation in this absence of subject, in the traditional sense of the word. The new title, *The Kiss* — which was the actual subject —, replaced the unjustified earlier title of *Francesca da Rimini* and made the work extremely suggestive. It was indeed part of the reason for its success among a public relatively unused to a liberty that would not surprise anyone today.

From a formal point of view, however, *The Kiss* is much more traditional, and compared with the monolithic work of *Balzac*, in which all the strength of expression is concentrated in the almost expressionist face, *The Kiss* reflects a science of composition, which was reassuring to those used to the skill of the Beaux-Arts students. The two intertwined bodies form a double spiral, which is clear when they are isolated from each other (*Male Torso of The Kiss*, cat. 15). The public praised *The Kiss* highly, and used this work to criticise *Balzac*: when Félix Faure, then president of France, visited the Salon, he conspicuously turned his back on *Balzac*. "All the marvelous qualities contained in one masterpiece are being used as arguments against another masterpiece," Albert Mockel shrewdly observed.[41] Yet Rodin was well aware of the progress he had made from one to the other. "The arrangement of *The Kiss* is no doubt very pretty," he admits, "but I have not found anything [special] in

41. "Le *Balzac* et *le Baiser* de Rodin", *Auguste Rodin et son œuvre*, special issue of *la Plume*, Paris, 1900, p. 10.

est très joli, reconnaissait-il. Mais dans ce groupe je n'ai rien trouvé. C'est un thème traité souvent suivant la tradition scolaire : un sujet complet en lui-même et artificiellement isolé du monde qui l'entoure : c'est un grand bibelot sculpté suivant la formule habituelle et qui retient étroitement l'attention sur les deux personnages représentés au lieu d'ouvrir de larges horizons à la rêverie[42]. » « Quand on a emporté mon groupe du *Baiser,* confia-t-il encore à Mauclair, il a passé devant le *Balzac* que j'avais laissé exprès dans la cour pour bien le voir sur le fond du ciel libre ; je n'étais pas mécontent de la vigueur simplifiée de mon marbre. Quand il a passé, pourtant, j'ai eu la sensation qu'il était mou, qu'il tombait devant l'autre, comme le torse célèbre de Michel-Ange devant les beaux antiques, et j'ai senti, dans mon âme, que j'avais raison, fussé-je seul contre tous. Mes modelés essentiels y sont, quoiqu'on dise, et ils y seraient moins si je finissais davantage en apparence. Quant à polir et repolir des doigts de pied ou des boucles de cheveux, cela n'a aucun intérêt à mes yeux, cela compromet l'idée centrale, la grande ligne, l'âme de ce que j'ai voulu. [...] Je faisais au début des choses adroites, vivement menées, pas mal, mais je sentais bien que ce n'était pas cela [...]. L'art ce n'est pas d'imiter, et il n'y a que les sots pour croire que nous puissions créer quelque chose. Alors il reste l'interprétation, dans un sens donné, de la nature[43]. »

42. Paul Gsell, « Propos de Rodin sur l'art et les artistes », *la Revue*, n° 21, 1er novembre 1907, p. 105.

43. Camille Mauclair, « La technique de Rodin », *Auguste Rodin et son œuvre*, numéro spécial de *la Plume*, Paris, 1900, p. 27. Repris par Gustave Geffroy, « Rodin », *Art et décoration,* octobre 1900, pp. 99 et 100.

31

that group. It is a subject often treated in a school tradition: a subject complete in itself and artificially isolated from the surrounding world: its a large sculpted knick-knack following the usual formula, which concentrates the [spectator's] attention on the two figures depicted instead of opening wide horizons to reverie."[42] "When they carried out *The Kiss,*" he told Mauclair, "it passed in front of *Balzac,* which I had intentionally left in the courtyard so that I could see it in the open air; I was not unhappy with the simplified strength of my marble. When it went by, however, I somehow felt that it was soft, that it fell flat in front of the other, like Michaelangelo's famous torso compared with the beautiful antique works. And I felt in my soul that I had been right, even if I was alone against everyone else. My essential forms are there, no matter what anyone says, and they would be less so if I finished the outward appearance even more. As for polishing and repolishing the toes or curls in the hair, this holds no interest for me; it would compromise the central idea, the overall line, the soul of what I wanted. . . . In the beginning, I created well-made, carefully controlled works; they weren't bad, but I felt that it wasn't quite right. . . . Art is not an imitation and only idiots believe that we can create anything. What remains then is the interpretation of nature, in a given sense."[43]

42. Paul Gsell, "Propos de Rodin sur l'art et les artistes", *la Revue*, no. 21, 1 November 1907, p. 105.

43. Camille Mauclair, "La technique de Rodin", *Auguste Rodin et son œuvre*, special issue of *la Plume*, Paris, 1900, p. 27. Also quoted by Gustave Geffroy, "Rodin", *Art et décoration*, October 1900, pp. 99 and 100.

Le Baiser entra au musée du Luxembourg en 1901, mais auparavant, il figura encore à l'Exposition Universelle de 1900, dans le cadre de la Décennale (n° 544). Rodin avait peut-être espéré pouvoir l'inclure dans son exposition personnelle, place de l'Alma : si l'on rapproche une lettre à Roger Marx [44] d'annotations, fort elliptiques et plus tardives (1911), portées en particulier sur le carnet 40 (folio 7 v.), on peut imaginer que Rodin avait conçu la rotonde qui formait la partie antérieure du pavillon de l'Alma comme un écho du temple de l'Amour de Trianon, et qu'il avait l'intention d'y placer *le Baiser.* Il fut ensuite question d'y mettre une *Eve* en bronze, mais c'est en fin de compte un *Pierre de Wissant nu* qui y fut exposé.

44. Rodin, *Correspondance*, II, 1986, lettre n° 15, antérieure au 1ᵉʳ juin 1900.

32

The Kiss went to the Musée du Luxembourg in 1901, but before this, it was exhibited at the Universal Exhibition of 1900 as part of the Décennale (no. 544). Rodin may have hoped to be able to include it in his one-man exhibition on Place de l'Alma. By comparing a letter to Roger Marx [44] with the very obscure annotations made much later (1911), particularly in notebook 40 (folio 7 v.), we can imagine that Rodin designed the rotunda forming the rear part of the pavilion at the Alma as an allusion to the Temple of Love in the Trianon and that he had intended to place *The Kiss* on this spot. Later, a bronze *Eve* was to be placed there, but in the end, *Pierre de Wissant in the Nude* was exhibited.

44. Rodin, *Correspondance*, II, 1986, letter no. 15, before 1 June 1900.

Les répliques du *Baiser*. L'édition en bronze

Après 1900, *le Baiser* fut exposé de nombreuses fois[45], souvent sous la forme du grand modèle par l'intermédiaire, alors, de moulages en plâtre ou de bronzes. Le marbre de la Tate Gallery figura toutefois à la VIe exposition de l'International Society à Londres en 1906. Ces expositions, comme les répliques en marbre, comme les moulages[46], comme les contrats avec Barbedienne, témoignent du succès immédiat de l'œuvre.

Il semble que Carl Jacobsen ait vu *le Baiser* à l'Exposition universelle de 1900 : c'est en effet l'une des six œuvres qui constituèrent sa première grande commande faite à Rodin, à Paris, en octobre 1900 (cat. 34). L'autre œuvre essentielle qui faisait partie de cette commande était *les Bourgeois de Calais*.

La commande fut passée dans l'atelier de Rodin, rue de l'Université, le 20 octobre[47]. En la confirmant, le lendemain, Jacobsen précisait que *le Baiser* devait avoir la « grandeur de l'original ». Le groupe devait être sculpté dans un marbre de Carrare de première qualité et « l'exécution de ce groupe, poursuit-il, ne sera pas moins soignée que celle de l'ori-

45. *Cf.* Alain Beausire, *Quand Rodin exposait*, Paris, éditions du musée Rodin, 1988.

46. Outre les deux épreuves du musée Rodin, trois autres moulages du marbre sont connus : le premier entra au musée de Douai le 2 août 1902. Il avait été acquis 1000 francs et Rodin reçut alors d'Henri Duhem qui avait négocié l'achat du plâtre une lettre laissant entendre que le musée avait été difficile à convaincre : ce plâtre « donnera chez nous la vision d'une phase de votre art qui s'y acclimatera forcément. Le premier pas est le plus dur » (Paris, arch. musée Rodin). Un deuxième moulage fut donné par Rodin au musée de Buenos Aires en mars 1909 ; un troisième par Maurice Fenaille au musée de Nice en 1927.

47. *Carl Jacobsens rejsedagbog* (Journal de voyage de C. Jacobsen), n° 15. Copenhague, Ny Carlsberg Glyptotek.

33

Replicas of *The Kiss*: Bronzes

After 1900, *The Kiss* was exhibited many times,[45] often in its large version, made from bronze or plaster casts. The marble in the Tate Gallery, however, was part of the sixth exhibition of the International Society in London in 1906. These exhibitions, like the marble replicas, the casts,[46] and the contracts with Barbedienne, attest the instant success the work enjoyed.

Carl Jacobsen apparently saw *The Kiss* at the Universal Exhibition of 1900. Indeed, it was one of the six works that were part of the first large order he sent to Rodin in Paris, in October of 1900 (cat. 34). The other important work included in this order was *The Burghers of Calais*.

The order was given in Rodin's studio on Rue de l'Université on 20 October.[47] Jacobsen confirmed it the following day, specifying that *The Kiss* must be "as large as the original." The group was to be sculpted in top-quality Carrara marble, and "this group," he continued, "will be executed with the same care taken with the original marble, and you even promised to sculpt the

45. Cf. Alain Beausire, *Quand Rodin exposait*, Paris, Éditions du Musée Rodin, 1988.

46. In addition to the two proofs in the Musée Rodin, three other casts of the marble are known. The first entered the Musée de Douai on 2 August 1902. It had been acquired for the sum of 1000 francs, and Rodin then received a letter from Henri Duhem, who had negotiated the purchase of the plaster, in which he made it understood that the museum had been difficult to convince: this plaster "will give us a vision of a phase of your art that will certainly be accepted. The first step is the hardest" (Paris, archives of the Musée Rodin). A second cast was given by Rodin to the Buenos Aires Museum in March 1909; Maurice Fenaille gave a third cast to the Musée de Nice in 1927.

47. *Carl Jacobsens rejsedagbog* (C. Jacobsen's travel diary), no. 15. Copenhagen, Ny Carlsberg Glyptotek.

48. N. Barbier, *Marbres de Rodin. Collection du musée*, Paris, éditions du musée Rodin, 1987, n° 79 ; A. B. Fonsmark, *Rodin. La collection du brasseur Carl Jacobsen à la Glyptothèque – et œuvres apparentées*, Copenhague, Ny Carlsberg Glyptotek, 1988, lettre 1.

49. *Cf.* une lettre non datée et perdue, citée par Frederik Poulsen, « Carl Jacobsen og Rodin », *Nordisk Tidsskrift*, 1933, p.411.

50. *Cf.* Barbier, 1987, n° 79. Dans une lettre à Rodin, le 16 mars 1902, Dolivet se réfère à Ganier qui lui avait dit « combien il serait impossible pour moi [Dolivet] de travailler dès maintenant à votre groupe du *Baiser* et que vous aviez décidé de me laisser le moment favorable pour y travailler ». Le 21 avril 1902, Dolivet rappelle à Rodin : « Vous avez bien voulu décider que j'irai vous prendre aujourd'hui après quatre heures – rue de l'Université – en vue de vous conduire à mon atelier pour voir le marbre de votre groupe *le Baiser* », et le 31 décembre 1902 il lui écrit encore : « Je termine l'année sur le travail que vous avez bien voulu me confier... À mon grand regret, je n'ai pu avancer aussi vite que je l'aurais voulu, mais cela tient à ce que la mise au point étant incomplètement faite, j'ai dû à diverses époques m'arrêter pour laisser faire ce travail indispensable – plus particulièrement j'ai à spécifier que depuis votre visite à mon atelier et immédiatement après, j'ai fait continuer la mise au point des parties non entreprises, telles les dessous des jambes des deux figures du groupe, en tentant de travailler en même temps que le metteur au point. Malheureu-sement j'ai dû renoncer pour ne pas paralyser la bonne marche de la mise au point, en travaillant dans de mauvaises conditions. Il en est résulté que

ginal en marbre et vous avez même promis de bien exécuter aussi la jambe gauche de l'homme. Vous avez en outre eu la bonté, toutefois *sans rien promettre,* de réfléchir si vous pouvez enlever une partie du marbre cru qui cache la poitrine gauche de l'homme. » À cet endroit, les deux figures de l'exemplaire de la Glyptothèque ne sont plus séparées l'une de l'autre, mais le passage est constitué par la chevelure ondoyante de Francesca. Jacobsen insistait enfin sur le fait que Rodin devait terminer personnellement l'œuvre : « Comme la Glyptothèque tient à posséder votre groupe *le Baiser* terminé de votre propre main, elle ne sera pas obligée de l'accepter s'il n'est pas terminé avant votre mort[48]. »

Selon ses dires, Rodin se rendit en Italie pour trouver à Carrare le bloc de marbre, sans veines, qui convenait[49]. À la fin de l'année 1901, on avait commencé à dégrossir le bloc. Le travail de mise au point fut exécuté par Ganier de décembre 1901 à mai 1902, après quoi, de mai 1902 à novembre 1903, le praticien Emmanuel Dolivet (1854-1910) se chargea du ciselage du groupe[50]. Le travail se déroulait dans son atelier où Rodin venait examiner le groupe. Les retouches furent faites de mai à novembre 1903 toujours selon les directives du maître et, en juillet de la même année, Jacobsen était informé que « l'exécution du Baiser était bien avancée[51] ».

48. N. Barbier, *Marbres de Rodin. Collection du musée*, Paris, Éditions du Musée Rodin, 1987, no. 79 ; A. B. Fonsmark, *Rodin. La collection du brasseur Carl Jacobsen à la Glyptothèque – et œuvres apparentées*, Copenhagen, Ny Carlsberg Glyptotek, 1988, letter 1.

49. Cf. an undated lost letter quoted by Frederick Poulsen, "Carl Jacobsen og Rodin", *Nordisk Tidsskrift*, 1933, p. 411.

50. Cf. Barbier, 1987, no. 79. In a letter to Rodin dated 16 March 1902, Dolivet refers to Ganier, who told him that "it would be impossible for me [Dolivet] to start working now on your group, *The Kiss*, and that you had decided to give me an appropriate moment to work on it." On 21 April 1902, Dolivet reminded Rodin, "You were kind enough to let me come and get you today after 4 — Rue de l'Université — and take you to my studio to see the marble of *The Kiss.*" On 31 December 1902 he wrote again: "I am finishing the year with the work that you were so kind to give me. . . To my great regret, I am not progressing as quickly as I had hoped, but this is because the pointing step was incomplete and several times I had to stop to have this essential work done. And particulary, I would like to say that since your visit to my studio and immediately after, I had the pointing continue for the sections that had not been done, such as below the legs of the two figures, while attempting to work at the same time as the pointer. Unfortunately, I have to give this up so as not to paralyze the pointing by working in poor conditions. The result is that I lost almost two weeks of work on your marble.

man's left leg well. Furthermore, you were kind enough, although *without promising anything*, to consider whether you could remove some of the rough marble that covers the man's left breast." At that spot, the two figures in the Glyptotek copy are no longer separated from each other; the connection is made by Francesca's wavy hair. Finally, Jacobsen reiterated the fact that Rodin had to finish the work himself. "As the Glyptotek would like to have the group of *The Kiss* finished by your own hands, we will not be obliged to accept it if it is not finished before your death."[48]

According to Rodin's writings, he travelled to Carrara in Italy to find a block of marble, without veins, suitable for the project.[49] By the end of 1901, the block was roughed out. The planning work was done by Ganier from December 1901 to May 1902, after which Emmanuel Dolivet (1854-1910), a sculptor's assistant, sculpted the block from May 1902 to November 1903.[50] He was working in his studio, where Rodin would go to observe the marble. The finishing work was done from May to November 1903 according to the instructions of the master, and in July of the same year, Jacobsen was notified that "the sculpting of *The Kiss* had progressed well."[51]

Le 6 février 1904, le groupe fut expédié au Danemark [52]. À la Glyptothèque, il fut disposé sur un piédestal tournant et Jacobsen, bouleversé, écrivit à Rodin le 23 février : « Je regrette que je ne sois pas poète pour pouvoir chanter ses éloges et les vôtres dans de beaux vers. Mais malheureusement, je ne peux faire rimer deux lignes. Je dois donc me contenter de vous remercier tout carrément en prose pour le sublime chef-d'œuvre que vous avez accompli [53]. »

Cependant, une seconde réplique en marbre du groupe (cat. 35) avait été commandée à l'automne de 1900 par Edward Perry Warren, « un homme pas ordinaire » selon Rodin [54]. Ce collectionneur et archéologue d'origine américaine qui avait quitté Boston pour installer dans le Sussex, à Lewes House, ses collections de pierres précieuses et de sculptures antiques, avait vu, lui aussi, *le Baiser* à l'Exposition de 1900. Le contrat daté du 12 novembre 1900 fut passé par l'intermédiaire de la Carfax Gallery qui vendait à Londres des bronzes et des dessins de Rodin, mais il avait été négocié par le peintre William Rothenstein et un « élève et secrétaire » de Warren. Celui-ci « me dit que son ami tient beaucoup à posséder la réplique [du *Baiser*] », écrit Rothenstein à Rodin le 25 juin 1900, « et me prie d'abord de vous exprimer ses regrets d'avoir hésité à accepter votre prix, qu'il s'est décidé maintenant à vous donner, mais qu'il passe tout son temps en Italie et en Grèce à acheter

j'ai perdu près de quinze jours au détriment de l'avancement de votre groupe... Rien maintenant ne peut m'arrêter pour mener à bien votre groupe, seule, la main gauche [de la femme] reste à mettre au point, mais je ne rappellerai pas le metteur au point pour si peu, me réservant de faire le nécessaire. » Il existe un certain nombre de factures adressées par Dolivet à Rodin entre le 19 mai et le 31 mars 1903. Paris, arch. musée Rodin.

51. *Cf.* Fonsmark, 1988, lettre 10. Jacobsen avait espéré une livraison plus rapide, comme il ressort de la mention qu'il fait du *Baiser* dans *Ny Carlsberg Glyptotek. Fortegnelse over Kunstvaerkerne*, Copenhague, Ny Carlsberg Glyptotek, 1902, cat. n° 553.

52. Léon Autin à Jacobsen, 17 février 1904. Copenhague, Ny Carlsberg Glyptotek.

53. Fonsmark, 1988, lettre 13.

54. Rodin à Rothenstein, 1er juillet 1900. Cité par Grunfeld, 1988, p. 438.

35 ————————————

On 6 February 1904, the sculpture was sent to Denmark. [52]
At the Glyptotek, it was placed on a revolving pedestal, and Jacobsen, overwhelmed, wrote to Rodin on 23 February: "I'm sorry I'm not a poet so that I could praise you and the work in beautiful verse, but unfortunately I can't rhyme two lines. I must therefore settle for prose to thank you for the sublime masterpiece that you have accomplished." [53]

A second copy of the marble group (cat. 35) had been ordered in the fall of 1900 by Edward Perry Warren, "an out-of-the-ordinary man," according to Rodin. [54] This American art collector and archeologist had left Boston and moved to Lewes House in Sussex, bringing along his collections of antique sculptures and precious stones. He too had seen *The Kiss* at the Exhibition of 1900. The contract, dated 12 November 1900, was made through the London-based Carfax Gallery, which sold bronzes and drawings by Rodin, but it was negotiated by the painter William Rothenstein together with a "pupil and secretary" of Warren's. This person "tells me that his friend would very much like to own a replica [of *The Kiss*]," wrote Rothenstein to Rodin on 25 June 1900. "First of all, he asks me to transmit his regret for having hesitated to agree to your price, which he has now decided to give you, but he spends all of his time

Nothing will stop me now from finishing your group. Only the left hand [of the woman] remains to be pointed, but I will not ask the pointer to come back for such a small thing, and will take care of it myself." There are a number of invoices sent to Rodin from Dolivet between 19 May and 31 March 1903. Paris, archives of the Musée Rodin.

51. Cf. Fonsmark, 1988, letter 10. Jacobsen had hoped for an earlier delivery, as indicated by his comment about *The Kiss* in *Ny Carlsberg Glyptotek. Fortegnelse over Kunstvaerkerne*, Copenhagen, Ny Carlsberg Glyptotek.

52. Léon Autin to Jacobsen, 17 February 1904. Copenhagen, Ny Carlsberg Glyptotek, 1902, cat. no. 553.

53. Fonsmark, 1988, letter 13.

54. Rodin to Rothenstein, 1 July 1900. Quoted by Grunfeld, 1988, p. 438.

des antiquités et qu'il ne s'y connaît point dans les affaires modernes. Il m'écrit en outre de vous prier, comme c'est pour lui-même qu'il désire *le Baiser,* étant homme païen et amant de l'Antiquité, qui veut aussi dire de la vérité, de bien vouloir dans la réplique modeler le sexe de l'homme comme aurait fait un Grec. Il suppose que dans le groupe du Luxembourg, vous avez un peu supprimé ce détail à cause de la pudeur muséique. Il tient beaucoup à ce que vous compreniez que son maître est un homme d'un goût extrême, que votre morceau sera la seule chose moderne dans sa maison – c'est-à-dire dans la meilleure compagnie du monde. Après sa mort il est destiné, je crois, au musée de Boston, mais pendant son vivant, *le Baiser* restera chez lui et n'en sortira pas [55]. » Le contrat reprend cette clause et précise le délai (dix-huit mois), le prix (20 000 francs, toujours, pour Rodin et 5 000 pour le marbre) et les étapes du paiement.

La mise aux points du groupe fut faite, comme pour le marbre de Jacobsen, par Ganier de février 1902 à juillet 1903, tandis que la pratique fut commencée par Rigaud et terminée par le sculpteur Louis Mathet (1853-1920) en septembre 1904 [56]. Un moule avait été pris sur le premier *Baiser,* et l'une des épreuves qui en fut tirée (S. 5717) servit pour l'exécution des répliques, comme l'indique la présence de points de basement et de croix de mise aux points. Les répliques diffèrent

55. Paris, arch. musée Rodin.

56. *Cf.* Barbier, 1987, cat. n° 79.

in Italy and in Greece purchasing antiquities and is not at all familiar with modern business. Furthermore, he wrote to ask you, since it is for his own pleasure he is acquiring *The Kiss,* and being a pagan and a lover of Antiquity (that is, of Truth), to sculpt the sex of the man in the replica as it would have been done by a Greek. He assumes that in the Luxembourg sculpture, you eliminated some of these details for reasons of modesty one expects from museums. He very much wants you to understand that his master is a man of great taste and that your piece will be the only modern work in his house — in other words, in the best company in the world. After his death, I think it will go to the Boston Museum, but during his life, *The Kiss* will remain in his home and will never leave it." [55] The contract repeats this clause and specifies the deadline (18 months), the price (20,000 francs, as usual, for Rodin, and 5,000 for the marble), as well as the terms of payment.

As for the Jacobsen marble, the pointing of the group was done by Ganier from February 1902 to July 1903, while the carving was begun by Rigaud and finished by the sculptor Louis Mathet (1853-1920) in September 1904. [56] A cast was made from the first *Kiss* and one of the proofs (S. 5717) was used to make the replica, which is clear from the presence of pointing marks. The replicas differ,

55. Paris, archives of the Musée Rodin.

56. Cf. Barbier, 1987, cat. no. 79.

cependant du premier groupe en particulier dans la forme et la taille du rocher qui constitue la base.

Le Baiser destiné à Warren, le plus beau dit-on en raison de la qualité du marbre, fut envoyé à Lewes House à la fin de l'année 1904. Il n'avait pas été possible de le photographier dans l'atelier de la rue Falguière où il avait été exécuté et, dès septembre, Bulloz avait demandé à Rodin de le prévenir du « jour du départ où on le sortira en plein air, ce qui permettra de le prendre de partout, dans de meilleures conditions qu'au Luxembourg ou ailleurs ». C'est donc le 28 novembre 1904 que furent prises les belles photographies de Bulloz[57] (cat. 36 à 39).

Une dernière grande réplique en marbre (fig. 5) fut exécutée en 1929 par Henri Gréber (1854-1941) pour le musée Rodin aménagé à Philadelphie par Jules Mastbaum, musée construit par le fils de Gréber, Jacques (1882-1962). Mastbaum souhaitait en effet qu'il y eût la plus grande similitude possible entre les musées de Paris et de Philadelphie. Or, en 1918, lors de l'installation du musée Rodin, Bénédite avait obtenu que fussent déposés à l'hôtel Biron tous les marbres qui se trouvaient au musée du Luxembourg, mais les Musées nationaux restaient propriétaires des œuvres – pour ménager leur susceptibilité, Grappe fit mettre « sur toutes les œuvres achetées par l'État l'inscription

57. Bulloz à Rodin, 17 septembre et 28 novembre 1904. Paris, arch. musée Rodin.

37

however, from the first work, particularly in the form and carving of the marble that constitutes the base.

The Kiss commissioned by Warren, said to be the most beautiful because of the quality of the marble, was sent to Lewes House in late 1904. It had not been possible to photograph it in the studio on the Rue Falguière where it was made. By September, Bulloz had asked Rodin to notify him of the "day of departure when it will be in the open, so that it can be taken from every direction in better conditions than at the Luxembourg or anywhere else." The beautiful photographs by Bulloz (cat. 36 to 39) were thus taken on 28 November 1904.[57]

One last large version in marble (fig. 5) was made in 1929 by Henri Gréber (1854-1941) for the Rodin Museum founded in Philadelphia by Jules Mastbaum and built by Gréber's son, Jacques (1882-1962). Mastbaum wanted the museums in Paris and Philadelphia to be as similar as possible. In 1918, during the installation of the Musée Rodin, Bénédite was able to arrange for the transfer to the Hôtel Biron of all the marbles that were in the Musée du Luxembourg, although the works remained the property of the Musées nationaux. In return, Grappe had inscribed "on all the works purchased by the

57. Bulloz to Rodin, 17 September and 28 November 1904. Paris, archives of the Musée Rodin.

fig. 5
Henri Gréber d'après Rodin
le Baiser
marbre, 1929
Philadelphie, musée Rodin

Henri Gréber d'après Rodin
The Kiss
marble, 1929
Philadelphia, Rodin Museum

Appartient aux Musées nationaux [58] ». Lorsque le musée Rodin ouvrit, en 1919, il offrait donc à ses visiteurs le premier *Baiser,* celui qui avait été commandé par l'État ; et pour en obtenir la réplique, alors que l'exécution de marbres d'après les œuvres de Rodin avait pris fin, Mastbaum accepta de payer 100 000 francs de droits d'auteur. Le 21 octobre 1926, après beaucoup d'hésitations, le conseil d'administration du musée Rodin avait en effet consenti à sa demande, car il s'était engagé à financer la construction d'un nouveau « musée » à Meudon, musée dont le besoin se faisait impérieusement sentir car l'ancien pavillon de l'Alma s'effondrait. Malheureusement pour le musée Rodin, Mastbaum disparut brutalement, avant d'avoir versé quelque argent que ce fût, et ses héritiers profitèrent du besoin que le musée avait de leur aide, pour faire ramener les droits d'auteur à 25 000 francs et obtenir le don d'une série de plâtres. Quant à la réplique du *Baiser,* elle est jugée aujourd'hui de si faible qualité qu'elle n'est plus présentée au musée Rodin de Philadelphie.

Cependant *le Baiser* pénétrait aussi dans des intérieurs plus modestes. Le succès du marbre au Salon de 1898 incita la maison Barbedienne à proposer à Rodin un contrat pour l'édition de réductions en nombre illimité : signé le 6 juillet 1898, ce contrat (fig. 6) prévoyait deux tailles de réductions, les réductions n° 1 (H. 71) et n° 2 (H. 25), vendues 1 400 et

58. Conseil d'administration du 21 octobre 1926.

39

State, the words 'Appartient aux Musées nationaux' ['property of the national museums'].” [58] When the Musée Rodin opened in 1919, visitors were therefore able to see the first *Kiss*, the work that had been commissioned by the government. To obtain the replica, given that marbles made after Rodin's work were no longer executed, Mastbaum agreed to pay 100,000 francs in royalties. On 21 October 1926, after numerous hesitations, the board of the Musée Rodin finally approved his request because it had agreed to finance the construction of a new "museum" in Meudon. There was an urgent need for this museum since the old Alma pavilion was falling apart. Unfortunately for the Musée Rodin, Mastbaum died suddenly without having paid anything, and his heirs took advantage of the situation — the museum needed their assistance — to reduce the royalties to 25,000 francs and obtain a series of plasters as a gift. As for the copy of *The Kiss*, it is now considered to be of such poor quality that it is no longer displayed in the Rodin Museum in Philadelphia.

Yet *The Kiss* also made its way into more modest homes. The success of the marble at the 1898 Salon was such that the Barbedienne company offered Rodin a contract to reproduce an unlimited number of scaled-down versions. Signed on 6 July 1898, this contract (fig. 6)

58. Meeting of the board of administration, 21 October 1926.

380 francs. Deux autres réductions apparurent ensuite : en 1901 la n° 3 (H. 40), vendue 700 francs, et en 1904 la n° 4 (H. 60), vendue 1 200 francs. Le contrat prit fin en 1918, et c'est alors que le musée Rodin récupéra les quatre chefs-modèles (cat. 40 à 43). Mais il avait duré vingt ans et durant ce laps de temps Barbedienne avait vendu quarante-neuf *Baiser* n° 1, soixante-neuf n° 2, cent huit n° 3 et cent trois n° 4. Certains exemplaires portent des références qui permettent de les identifier : c'est ainsi que la réduction n° 2 mise aux enchères à l'Hôtel Drouot le 30 novembre 1982 (n° 54) avait pu être repérée comme celle qui fut vendue en août 1913 grâce au numéro 83248 inscrit à l'intérieur du bronze. Après l'expiration du contrat Barbedienne, quelques exemplaires des réductions n° 2 surtout, mais aussi 3 et 4, furent encore exécutés par Alexis Rudier.

Les réductions Barbedienne avaient été réalisées grâce au procédé d'Achille Collas et quelques bronzes portent la marque de celui-ci : c'est le cas de celui qui fut donné par Rodin à Mrs. Simpson en septembre 1902, « en souvenir des heures d'atelier » (Washington, National Gallery of Art).

Cependant Rodin avait gardé sous son contrôle direct la réalisation de bronzes de la taille de l'original : quelques-uns furent réalisés de son

called for two different sizes, reduction no. 1 (71 cm high) and no. 2 (25 cm high), which sold for 1,400 and 380 francs. Two other small-scale models appeared later: in 1901, no. 3 (40 cm high), for 700 francs; and in 1904, no. 4 (60 cm high), for 1,200 francs. The contract ended in 1918, and at that time the Musée Rodin recovered the four master casts (cat. 40 to 43). But the contract had lasted 20 years, and during this period Barbedienne sold 49 versions of *The Kiss* no. 1, 69 of no. 2, 108 of no. 3 and 103 of no. 4. Some of the copies bear references allowing their identification: we know that the model no. 2, sold at Hôtel Drouot on 30 November 1982 (no. 54), was the same work sold in August of 1913 because of the number 83248 engraved inside the bronze. After the Barbedienne contract expired, a few more copies of reduction no. 2 and several of nos. 3 and 4 were made by Alexis Rudier.

The Barbedienne reductions were made using Achille Collas' process, and several of the bronzes bear his stamp, including the sculpture that Rodin gave to Mrs. Simpson in September 1902, "in memory of the studio hours" (Washington, National Gallery of Art).

Nevertheless, all the bronzes made to the same scale as the original were under Rodin's direct control. Several were made during his lifetime by Eugène and Alexis Rudier. One of the first of these

vivant, par Eugène et Alexis Rudier. L'un des premiers, sans doute, est celui qui fut acquis par le collectionneur belge Wousters-Dustin en décembre 1905, puis racheté par Georges Bernheim en 1911 après avoir figuré au Salon de la Libre Esthétique à Bruxelles en 1908. Un autre, acheté à Bruxelles en 1912 par Georges Petit, fut immédiatement revendu à Miss Gwendolen Davies, qui en fit don en 1940 au National Museum of Wales, à Cardiff. Après la mort de Rodin, le musée en continua l'édition : en 1942, il en vendit un exemplaire en Allemagne tandis qu'en décembre 1949, le Service de la récupération artistique lui en attribuait un autre (déposé à l'hôtel Matignon).

Comme les réductions Barbedienne, les grands *Baiser* en bronze reproduisent le marbre de 1898. Mais il existe d'autres séries de bronzes dont les premiers exemplaires furent fondus bien avant 1898 et qui correspondent donc aux plâtres de 1886. Très tôt, il y eut en effet une demande de bronzes du *Baiser* : en 1892, par exemple, Frantz Jourdain demanda à Rodin de guider vers cette œuvre le choix d'amis qui devaient lui faire un cadeau. La négociation réussit puisqu'en mai-juin 1898 Vollard proposa à Rodin d'échanger un *Nu* de Renoir contre un très bel exemplaire du *Baiser,* « comme celui qui est chez M. Frantz Jourdain [59] ». Et, en 1893, il fut envisagé d'envoyer un exemplaire à l'Exposition Universelle de Chicago, mais ce projet ne se réalisa pas [60].

59. Paris, arch. musée Rodin. Ce bronze pourrait-il correspondre à celui qui fut exécuté par A. Gruet fils aîné en 1892-1893 (Gruet à Rodin, 17 janvier 1893, Paris, arch. musée Rodin) ?

60. Contrairement à ce que disent Caso-Sanders, 1977, p. 149.

41

was probably the work acquired by the Belgian art collector Wousters-Dustin in December 1905, which was later purchased by Georges Bernheim in 1911 and exhibited in the Salon de la Libre Esthétique in Brussels in 1908. Another work, purchased in Brussels in 1912 by Georges Petit, was immediately resold to Miss Gwendolen Davies, who gave it to the National Museum of Wales in Cardiff in 1940. After Rodin's death, the museum continued the series: in 1942 a copy was sold in Germany, while in December of 1949, the Service de la récupération artistique allocated another one to it (now on loan in the Hôtel Matignon).

The large bronze versions of *The Kiss,* like the Barbedienne reductions, are reproductions of the marble made in 1898. Other series of bronzes also exist, though, whose first copies were cast well before 1898 and correspond to the plasters of 1886. Early on, there was a demand for bronze versions of *The Kiss.* In 1892, for example, Frantz Jourdain asked Rodin to suggest this work to a group of friends who were going to buy him a present. He was successful, because in May or June of 1898, Vollard offered to Rodin to exchange a *Nude* by Renoir for a beautiful copy of *The Kiss*, "like the one owned by M. Frantz Jourdain." [59] And in 1893 a copy was originally going to be sent to the Chicago World's Fair, but nothing came of it. [60]

59. Paris, archives of the Musée Rodin. Could this bronze be the work made by A. Gruet's eldest son in 1892-1893 (Gruet to Rodin, 17 January 1893, Paris, archives of the Musée Rodin)?

60. Contrary to what is written in Caso-Sanders, 1977, p. 149.

De ces bronzes, il existe deux types différents, correspondant aux deux plâtres connus. Les uns sont identiques au plâtre du musée Rodin (S. 2834, cat. 11) et le premier exemplaire est celui qui fut fondu par François Rudier pour Louis de Fourcaud, mais on en connaît aussi des fontes Alexis Rudier[61], puis des fontes Georges Rudier[62] éditées par le musée Rodin, qui a d'ailleurs intégré le dernier exemplaire à ses collections (S. 472, fig. 7). L'autre type se caractérise par une base simplifiée, traitée en volumes plus géométriques : il est plus proche du plâtre S. 3640 du musée Rodin, qui possède d'ailleurs un moule correspondant à ce plâtre, et c'est à ce type qu'appartiennent le bronze du musée national d'Art occidental à Tokyo (ancienne coll. Matsukata) et celui qui a été exposé à la fondation Gianadda à Martigny en 1984 (n° 33. Dédicacé à Loïe Fuller). Ces deux bronzes sont des fontes Alexis Rudier.

Le Baiser est présenté au musée Rodin dans la salle centrale du rez-de-chaussée, décorée par Jaulmes en novembre 1923 de toiles marouflées, destinées à lui offrir un cadre digne de lui (cat. 44). Il demeure en effet l'une des œuvres les plus célèbres du musée. De cela témoigne, outre les reproductions que l'on en fait toujours[63], le fait qu'il a inspiré bien des artistes plus jeunes : en Allemagne où un grand bronze fut présenté à Düsseldorf en 1904, il y eut une véritable floraison de *Baiser,* comme le montre un article non daté et sans référence de Jean Maubourg,

61. Christie's, New York, 10 juin 1989, n° 57, et 10 novembre 1994, n° 129.

62. Neuf exemplaires de 1950 à 1972.

63. En résine, par le musée Rodin ; en bronze par la fonderie Royal Art à Hanovre : *cf.* Ursel Berger, « Ein Rodin per Post? », *Weltkunst*, 15 mai 1988, pp. 1542 à 1545.

42

These bronzes are of two different types, which correspond to the two known plasters. The first are identical to the plaster in the Musée Rodin (S. 2834, cat. 11), and the first copy is the work cast by François Rudier for Louis de Fourcaud. But others, cast by Alexis Rudier, are known,[61] as well as some edited by the Musée Rodin by Georges Rudier.[62] The museum now owns the last one cast and corresponding to this plaster (S. 472, fig. 7). The second type is characterized by a simplified base treated in more geometrical volumes: it is closer to the plaster S. 3640 of the Musée Rodin, which also owns a cast corresponding to it. The bronze in the National Museum of Western Art in Tokyo (the former Matsukata collection) corresponds to this plaster, as does the work that was exhibited in the Fondation Gianadda in Martigny in 1984 (no. 33, dedicated to Loïe Fuller). These two bronzes were cast by Alexis Rudier.

The Kiss is exhibited in the main room on the ground floor of the Musée Rodin. This room was decorated by Jaulmes in November 1923 with paintings attached to the walls; it was intended to create a setting worthy of the sculpture (cat. 44). It is, indeed, one of the most renowned works in the museum. Its fame is demonstrated not only by reproductions that are still made[65] but also by the fact that it inspired many younger artists.

61. Christie's, New York, 10 June 1989, no. 57, and 10 November 1994, no. 129.

62. Nine copies from 1950 to 1972.

63. In resin, by the Musée Rodin; in bronze by the Royal Art Foundry in Hanover; cf. Ursel Berger, "Ein Rodin per Post?" *Weltkunst*, 15 May 1988, pp. 1542–45.

fig. 7
le Baiser
bronze
Paris, musée Rodin
S. 472

The Kiss
bronze
Paris, Musée Rodin
S. 472

« Le Baiser de Rodin et quelques baisers boches » (fig. 8). En Angleterre, John Tweed (1869-1933), qui avait bien connu Rodin, exécuta en 1909 un *Couple enlacé* (Reading, Museum Art Gallery) dont l'origine est évidente. De même, semble-t-il, pour *le Baiser* d'Alfred Pina, sculpteur né en Italie en 1883 qui travailla dans l'atelier de Rodin. Des artistes dont le rapport avec Rodin est loin d'être simple s'en sont également inspirés ou tout au moins souvenus : *la Tendresse* de Joseph Bernard (1866-1931), dont l'esquisse date de 1906 environ et le marbre du musée des Beaux-Arts de Lyon de 1910-1912, présente une composition dont on ne peut nier le lien avec Rodin, même si le style en est bien évidemment tout à fait différent. Au même moment, Maillol (1861-1944) travaillait au *Désir* qui présente un homme et une femme accroupis face à face ; nous sommes plus loin du *Baiser,* mais lorsque l'on sait que Maillol était alors proche de Rodin, que celui-ci vint le voir à Marly et que Maillol lui expliqua longuement son relief[64], ne faut-il pas chercher chez Rodin encore la source de ce couple nu dont aucun sujet littéraire ne donne le prétexte ? Tandis que Marcel Duchamp, ayant légèrement déplacé la main de l'homme, donnait une vision plus sensuelle du *Baiser* dans l'eau-forte intitulée *Morceaux choisis d'après Rodin* (cat. 45), son frère Raymond Duchamp-Villon (1876-1918) allait plus loin en traitant de façon cubiste ses *Amants* de 1913, dont Albert Elsen a souligné la parenté d'attitude avec *l'Éternel Printemps* de Rodin. Toutefois c'est

64. Le 14 août 1907, *Journal* de Kessler, Marbach, Deutsches Literaturarchiv.

44

A quantity of *Kiss* sculptures appeared in Germany — where a larger bronze was exhibited in Düsseldorf in 1904 —, as indicated by an undated article by Jean Maubourg, "Rodin's Kiss and some other German kisses" (fig. 8). In England, John Tweed (1869-1933), who had known Rodin well, made a work in 1909 entitled *Embracing Couple* (Reading, Museum Art Gallery), obviously inspired by Rodin. The same seems to be true for *The Kiss* by Alfred Pina, a sculptor who was born in Italy in 1883 and worked in Rodin's studio. Other artists were also inspired by Rodin, or at least exhibit traits reminiscent of the work: *Tenderness* by Joseph Bernard (1866-1931), the sketch for which is dated around 1906, and the marble in the Musée des Beaux-Arts in Lyon, dated 1910-1912, is undeniably indebted to Rodin in its composition, although the style is obviously quite different. At the same time, Maillol (1861-1944) was working on *Desire*, which represents a man and a woman crouching face to face; this work is farther away from *The Kiss*, but we know that Maillol was then close to Rodin, who came to visit him at Marly, and indeed Maillol discussed the relief at length with him.[64] It is not unwarranted then to trace the source of this nude couple to Rodin, all the more so since no literary text supplied such a subject. While Marcel Duchamp, who slightly displaced the man's hand, gives a more sensual vision of *The Kiss* in an etching entitled *Selected*

64. 14 August 1907, *Journal* by Kessler, Marbach, Deutsches Literaturarchiv.

LE BAISER de RODIN
ET QUELQUES BAISERS BOCHES

AU temps où Rodin exposait en Allemagne (comme c'est loin, tout ça !) les Boches l'accueillaient comme une manière de prophète. Pour le moindre de ses plâtres, on inventait de savants éclairages et des socles drapés de velours noir. Ses œuvres ne voisinaient avec aucune autre. On les réunissait dans une sorte de chapelle où les esthètes gorgés de saucisses et leurs frauen boudinées dans des corsets à triple blindage se pâmaient respectueusement. Pour un peu, ils auraient pris le pas de parade autour de l'*Eve* ou du *Saint Jean-Baptiste*. Bref, les Boches aimaient beaucoup Rodin. Ils le lui ont bien prouvé. Non contents d'accueillir les exemples du Michel-Ange français, ce qui eût été trop naturel, ils ont démarqué son œuvre, depuis vingt ans surtout, avec une audace et un sans-gêne qui eussent pu donner beaucoup d'ouvrage à la justice, s'il existait réellement des tribunaux pour poursuivre la contrefaçon artistique. Rodin n'ignorait rien des chapardages quotidiens dont il était victime de la part de ses très illustres et hautement nés disciples de Berlin, de Stuttgart et de Munich. Mais ce grand homme, qui savait pourtant le prix de l'argent, n'en était pas moins très sensible à la monnaie de singe. Avec des formules admiratives, des courbettes, des épithètes exagérées, on réussissait sans trop de peine à faire fléchir son tarif élevé, voire même à aveugler momentanément ses petits yeux clignotants, qui, durant toute une longue existence, s'étaient grisés de lumière et de beauté. Tous les gras et pontifiants Kunstlers des académies allemandes le couvaient, et c'était à qui d'entre eux se terrerait le premier à

RODIN. — *Le Baiser.*

plat ventre devant la barbe fleurie du locataire de l'Hôtel Biron. Résultat : nous n'avions qu'un Rodin, et ils en avaient plusieurs quarterons de l'autre côté du Rhin. Il n'est pas une œuvre du grand artiste qui n'ait été là-bas reprise, copiée, imitée, reproduite plus ou moins adroitement. Le *Baiser*, le puissant *Baiser* qui rayonne au Luxembourg en attendant qu'il aille prendre sa juste part d'éternité, l'admirable *Baiser* qui fera pardonner à Rodin tant de *Penseurs* dont les desservants de sa petite chapelle sont d'ailleurs plus responsables que lui-même, a été la plus exploitée de toutes les idées du Maître.

MAX WACH-CHARLOTTENBURG. — *Amour.*

EMILE RENKER. — *Le Baiser.*

R. AIGNER. — *Eros.*

Parmi les trente ou quarante groupes de marbre ou de plâtre qui ont figuré avec le même titre depuis 1900 dans les Salons allemands, nous aurions pu en choisir de plus servilement imités que les trois qui sont reproduits ici. Mais il nous a surtout paru plaisant de montrer ce que peut devenir une idée profondément noble et profondément humaine entre les mains des barbares. Trois des plus célèbres sculpteurs boches, ayant vu le *Baiser* de Rodin, ont eu l'idée, immédiate et naturelle chez tout Allemand, de s'approprier l'inspiration et la manière de ce poème de marbre. Mais comme pour prouver que chaque forfait porte vraiment en lui-même son châtiment, ils ont abouti aux trois compositions ci-contre, où leur impuissance se confronte triomphalement à leur malignité. Pauvres faux-Rodins allemands ! En prétendant imiter notre *Baiser*, ils avouent n'en avoir compris ni la grâce divine à force de naturel, ni la puissance délicate et tendre, ni l'émotion. Dans ces trois groupes acrobatiques, une seule recherche nouvelle : celle de quelques positions inédites à ajouter aux trente-deux de la légende.

JEAN MAUBOURG.

fig. 8
"Le Baiser de Rodin et quelques Baisers boches"
Paris, arch. musée Rodin

"Rodin's Kiss and some other German kisses"
Paris, archives of the Musée Rodin

avec Constantin Brancusi (1876-1957) que le cycle trouva son apogée :
Brancusi, qui avait passé quelques mois dans l'atelier de Rodin mais
n'avait pas voulu y rester de peur d'y perdre sa propre personnalité,
exécuta en 1907 un premier *Baiser*. Il reprit ce thème à maintes
reprises, au cours des cinq décennies de sa carrière, de 1909, pour la
tombe de T. Rachevskaia qui s'était suicidée par amour (Paris, cime-
tière Montparnasse), à 1945, pour la *Borne frontière* léguée avec
l'ensemble de son atelier au musée national d'Art moderne (fig. 9). Du
Baiser de Rodin, frémissant de passion, il ne reste que la quintessence,
l'idée d'étreinte indiquée par un jeu d'horizontales et de verticales, au
point que le *Baiser* est devenu « l'emblème du refus radical chez
Brancusi des méthodes de son grand prédécesseur [65] ». Mais dans la
multiplication et la superposition des mêmes signes ne faut-il pas voir
un clin d'œil à celui qui le premier avait fait de la répétition une forme
de création artistique ?

65. Ann Temkin, exp. *Brancusi*, Paris, Centre
Georges Pompidou, musée national d'Art
moderne, 1995, p. 90.

46

Works after Rodin (cat. 45), his brother Raymond Duchamp-Villon
(1876-1918) went even farther by treating his *Lovers* of 1913 in a
Cubist style. Albert Elsen has stressed the similarities between the
posture of this work and that of Rodin's *Eternal Spring*.
Nevertheless, the cycle culminates in the work of Constantin
Brancusi (1876-1957). Brancusi spent several months in Rodin's
studio but decided to leave, for fear of losing his individuality.
He created a first *Kiss* in 1907. He returned to this theme many
times during the 50 years of his career, from 1909 — with the tomb
of T. Rachevskaia, who died in a suicide pact (Montparnasse
Cemetery, Paris) — to 1945, with the *Border Stone* (fig. 9),
bequeathed to the Musée national d'Art moderne together with his
studio and its contents. All that remains of Rodin's *Kiss*, vibrant with
passion, is the quintessential element, the idea of embrace indicated
by a play of horizontal and vertical lines, so that *The Kiss* became
"the emblem of Brancusi's radical rejection of the methods of his
great forerunner." [65] Yet in the multiplication and superimposition
of the same signs, we can surely see a nod towards the first artist
who made repetition a form of artistic creation?

65. Ann Temkin, exhibition *Brancusi*, Paris,
Centre Georges Pompidou, Musée national
d'Art moderne, 1995, p. 90.

fig. 9
Constantin Brancusi
Borne frontière
plâtre, 1945
Paris, musée national d'Art moderne

Constantin Brancusi
Border Stone
plaster, 1945
Paris, Musée national d'Art moderne

Annexe

Quelques vers inspirés
par *le Baiser*
et envoyés à Rodin*

Le Baiser

À Auguste Rodin
Admiration d'un inconnu

Ils s'unissent ; ils sont l'Homme et la Femme ; ils sont
Ceux qui s'aiment, ceux qui se donnent et s'embrassent.
Leur baiser de la bouche est le premier frisson
Précurseur de celui dont s'enfantent les races.

Nature, Volupté ! Deux êtres qui s'enlacent
Offrant le seul bonheur à nous tous qui passons
Voyageurs de démence, à nous qui frémissons
D'idéal faux rêvé par nos paupières lasses !

Oh ! dans la plaine vaste, ensoleillée d'or pâle,
Parmi le chant des blés, serrer dans ses bras mâles
La femme épanouie aux ardeurs de l'été,

Et faire, dans le nid profond des moissons mûres
Sur elle du baiser couler le long murmure
Comme un ruisseau de vie et de fécondité.

* Paris, arch. musée Rodin

Albert Fleury

48

---

*En contemplant un groupe de deux figures s'étreignant
(Variations sur le Baiser) par Rodin.*

(Il ne faut pas aller vers elle
si vous ne devez pas la revoir)

Que ton geste amoureux est beau !
Que tes attitudes sont belles !
Baisons-nous, comme en un tombeau
Fait le ver aux baisers fidèles !

Baisant la chair qui l'engendra
L'inceste n'a rien qui le dole ;
Il fait l'amour à son idole,
Avec un suaire pour draps !

Il l'étouffe dans son étreinte
Et ses muscles purs et tordus
Rendent, en creusant leur empreinte
Les baisers fous toujours rendus.

Toute, il boit cette chair qu'il aime !
Son baiser mord dans l'être cher,
Et mange doucement sa chair
Au parfum mort de chrysanthème !

Ah ! Baisons-nous comme au tombeau
Fait le ver aux baisers fidèles !
Ton geste amoureux est si beau !
Tes attitudes sont si belles !

Philippe Garnier
ex-pensionnaire de la Comédie française
27 octobre 1900

cat. 5 (page 63)

cat. 12 (page 69)

cat. 16 (page 73)

cat. 21 (page 78)

cat. 34 (page 90)

cat. 35 (page 91)

cat. 36 (page 92)

cat. 38 (page 94)

Catalogue

Les dimensions sont en centimètres.

58 ————————————

The dimensions are given in centimetres.

1.
Auguste Rodin (1840-1917)

Étreinte

vers 1880
mine de plomb, plume et lavis brun
sur papier crème réglé collé sur un autre
papier déchiré
H. 21,9 ; L. 17,3

Historique : donation Rodin, 1916
Bibliographie : Claudie Judrin,
Inventaire des dessins, éditions du musée
Rodin, II, 1986.
Paris, musée Rodin, D. 1904

59 ————————————

1.
Auguste Rodin (1840-1917)

Embrace

ca. 1880
lead pencil, pen and brown ink on
ruled cream paper glued on to another
torn piece of paper
21.9 x 17.3

Provenance: **Rodin donation, 1916**
Bibliography: **Claudie Judrin,**
Inventaire des dessins,
Éditions du Musée Rodin, II, 1986.
Paris, Musée Rodin, D. 1904

2.
Auguste Rodin (1840-1917)

Dante se jetant dans les bras
de Virgile

vers 1880
mine de plomb, plume et encre brune
sur papier crème réglé déchiré aux deux
angles à droite
H. 14,2 ; L. 10
Annoté à la plume et encre brune en haut
à gauche et sur le côté : « Caverne–Dante
à la vue de la vallée se jette dans les bras
de Virgile–bas–caverne »

Historique : donation Rodin, 1916
Bibliographie : Claudie Judrin,
Inventaire des dessins,
éditions du musée Rodin, II, 1986.
Paris, musée Rodin, D. 1922

60 ————————————

2.
Auguste Rodin (1840-1917)

Dante Throwing Himself into
the Arms of Virgil

ca. 1880
lead pencil, pen and brown ink
on ruled cream paper torn on the two
right-hand corners
14.2 x 10
Annotated with pen and brown ink
on the top left and along the side:
"Caverne-Dante à la vue de la vallée se
jette dans les bras de Virgile-bas-caverne"

Provenance: Rodin donation, 1916
Bibliography: Claudie Judrin,
Inventaire des dessins,
Éditions du Musée Rodin, II, 1986.
Paris, Musée Rodin, D. 1922

3.
Auguste Rodin (1840-1917)
Troisième Maquette
pour la Porte de l'Enfer

1880
plâtre
H. 111,5 ; L. 75 ; P. 30

Historique : donation Rodin, 1916
Paris, musée Rodin, S. 1189

61 ────────────

3.
Auguste Rodin (1840-1917)
Third Model
for The Gates of Hell

1880
plaster
111.5 x 75 x 30

Provenance: **Rodin donation, 1916**
Paris, Musée Rodin, S. 1189

4.
Auguste Rodin (1840-1917)

le Baiser

vers 1880-1882
esquisse, terre cuite
H. 11 ; L. 5,2 ; P. 5,1

Historique : donation Rodin, 1916
Paris, musée Rodin, S. 6418

62 ――――――――――

4.
Auguste Rodin (1840-1917)

The Kiss

ca. 1880-1882
sketch, terracotta
11 x 5.2 x 5.1

Provenance: **Rodin donation, 1916**
Paris, Musée Rodin, S. 6418

5.
Auguste Rodin (1840-1917)

Couple enlacé

vers 1880 ?
Cette esquisse peut être rapprochée aussi
du groupe de *Roméo et Juliette* (1902)
esquisse, terre cuite
H. 13,1 ; L. 8,4 ; P. 7,1

Historique : donation Rodin, 1916
Paris, musée Rodin, S. 3895

63 ───────────────

5.
Auguste Rodin (1840-1917)

Embracing Couple

ca. 1880 (?)
This sketch can also be related to the
group of *Romeo and Juliet* (1902)
sketch, terracotta
13.1 x 8.4 x 7.1

Provenance: **Rodin donation, 1916**
Paris, Musée Rodin, S. 3895

6.
Auguste Rodin (1840-1917)

Couple enlacé

vers 1880 ?
esquisse, terre cuite
H. 18 ; L. 17 ; P. 10
Signé « A. Rodin » au dos.

Historique : donné par Rodin à François
Pompon ; legs Pompon, 1933
Bibliographie : Catherine Chevillot,
Liliane Colas, Anne Pingeot, *François
Pompon*, Gallimard Electa, Réunion
des musées nationaux, 1994, pp. 74 et 84
Dijon, musée des Beaux-Arts, inv. 3424

64 ——————————————

6.
Auguste Rodin (1840-1917)

Embracing Couple

ca. 1880 (?)
sketch, terracotta
18 x 17 x 10
Signed "A. Rodin" on the back.

Provenance: **given by Rodin to François
Pompon; Pompon bequest, 1933**
Bibliography: **Catherine Chevillot,
Liliane Colas, Anne Pingeot,** *François
Pompon*, **Gallimard Electa, Réunion des
musées nationaux, 1994, pp. 74 and 84
Dijon, Musée des Beaux-Arts, inv. 3424**

7.
Auguste Rodin (1840-1917)

Dix études de couples
s'étreignant

mine de plomb sur papier crème
H. 27,1 ; L. 21,1
Annoté à la mine de plomb de haut
en bas et de gauche à droite : « main
jointe–main sur fesse–interrogation–
deux mains–l'une dans l'autre–sous
le sein–main dans la main–main
sur le bras à la main–debout–main
dans le sein »

Historique : donation Rodin, 1916
Bibliographie : Claudie Judrin,
Inventaire des dessins,
éditions du musée Rodin, II, 1986
Paris, musée Rodin, D. 2160 à 2163

65 ————————

7.
Auguste Rodin (1840-1917)
Ten Studies of Embracing
Couples

lead pencil on cream paper
27.1 x 21.1
Annotated in lead pencil at the top
and bottom and from left to right:
"main jointe-main sur fesse-
interrogation-deux mains-l'une
dans l'autre-sous le sein-main dans
la main-main sur le bras à la main-
debout-main dans le sein."

Provenance: **Rodin donation, 1916**
Bibliography: **Claudie Judrin,**
Inventaire des dessins,
Éditions du Musée Rodin, II, 1986
Paris, Musée Rodin, D. 2160 to 2163

8.
Auguste Rodin (1840-1917)

le Baiser, esquisse pour
le piédroit de droite
de *la Porte de l'Enfer*

plâtre
H. 11,4 ; L. 5,7 ; P. 1,7

Historique : donation Rodin, 1916
Paris, musée Rodin, S. 4041

9.
Auguste Rodin (1840-1917)

le Baiser, esquisse pour
le piédroit de droite
de *la Porte de l'Enfer*

plâtre
H. 11,1 ; L. 7,1 ; P. 1,5

Historique : donation Rodin, 1916
Paris, musée Rodin, S. 4038

66

8.
Auguste Rodin (1840-1917)
The Kiss, study for
the right-hand pier
of The Gates of Hell

plaster
11.4 x 5.7 x 1.7

Provenance: **Rodin donation, 1916**
Paris, Musée Rodin, S. 4041

9.
Auguste Rodin (1840-1917)
The Kiss, study for
the right-hand pier
of The Gates of Hell

plaster
11.1 x 7.1 x 1.5

Provenance: **Rodin donation, 1916**
Paris, Musée Rodin, S. 4038

10.
Auguste Rodin (1840-1917)

*Piédroit de droite de la Porte de
l'Enfer,* partie inférieure

vers 1885
plâtre
H. 210 ; L. 45 ; P. 15

Historique : donation Rodin, 1916
Paris, musée Rodin, S. 621

67 —————————————

10.
Auguste Rodin (1840-1917)

***Right-hand pier of The Gates
of Hell,* lower section**

ca. 1885
plaster
210 x 45 x 15

Provenance: **Rodin donation, 1916**
Paris, Musée Rodin, S. 621

11.
Auguste Rodin (1840-1917)

Françoise de Rimini

1882-1886
plâtre
H. 86 ; L. 51,5 ; P. 55,5

Historique : donation Rodin, 1916
Paris, musée Rodin, S. 2834

68

11.
Auguste Rodin (1840-1917)

Francesca da Rimini

1882-1886
plaster
86 x 51.5 x 55.5

Provenance: **Rodin donation, 1916**
Paris, Musée Rodin, S. 2834

12.
Auguste Rodin (1840-1917)

Paolo et Francesca

1882
terre cuite
H. 78,7 ; L. 52,5 ; P. 51,8
signé « Rodin » à l'arrière du tertre
à droite

Historique : donation Rodin, 1916
Paris, musée Rodin, S. 3459

69 _____

12.
Auguste Rodin (1840-1917)

Paolo and Francesca

1882
terracotta
78.7 x 52.5 x 51.8
Signed "Rodin" on the back to the right

Provenance: **Rodin donation, 1916**
Paris, **Musée Rodin, S. 3459**

13.
Charles Bodmer (1809-1893)

Paolo et Francesca, de face

1882 ?
papier albuminé
H. 24,9 ; L. 18,4

Historique : Donation Rodin, 1916
Paris, musée Rodin, Ph. 3428

70 ——————————

13.
Charles Bodmer (1809-1893)

Paolo and Francesca,
front view

1882 (?)
albumenized paper
24.9 x 18.4

Provenance: **Rodin donation, 1916**
Paris, Musée Rodin, Ph. 3428

14.
Charles Bodmer (1809-1893)

Paolo et Francesca,
de trois quarts

1882 ?
papier albuminé
H. 22,4 ; L. 17

Historique : Donation Rodin, 1916
Paris, musée Rodin, Ph. 3429

71 ————————————

14.
Charles Bodmer (1809-1893)

Paolo and Francesca, 3/4 view

1882 (?)
albumen paper
22.4 x 17

Provenance: **Rodin donation, 1916**
Paris, **Musée Rodin, Ph. 3429**

15.
Auguste Rodin (1840-1917)

Torse masculin du Baiser

vers 1886 ?
plâtre
H. 51,5 ; L. 41,6 ; P. 33,2

Historique : donation Rodin, 1916
Paris, musée Rodin, S. 2084

16.
Auguste Rodin (1840-1917)

Deux Femmes enlacées,
jambes tronquées

vers 1890 ?
terre cuite
H. 23 ; L. 25 ; P. 29

Historique : donation Rodin, 1916
Paris, musée Rodin, S. 370

72 ———————————

15.
Auguste Rodin (1840-1917)
Male Torso of The Kiss

ca. 1886 (?)
plaster
51.5 x 41.6 x 33.2

Provenance: **Rodin donation, 1916**
Paris, Musée Rodin, S. 2084

16.
Auguste Rodin (1840-1917)
Two Women Embracing,
Truncated Legs

ca. 1890 (?)
terracotta
23 x 25 x 29

Provenance: **Rodin donation, 1916**
Paris, Musée Rodin, S. 370

17.
Auguste Rodin (1840-1917)

Femmes enlacées

avant 1890
plâtre
H. 20,2 ; L. 12,1 ; P. 14,1

Historique : donation Rodin, 1916
Exposition : 1890, Paris, Salon de la
Société nationale des Beaux-Arts,
hors catalogue
Paris, musée Rodin, S. 1164

74

17.
Auguste Rodin (1840-1917)

Embracing Women

before 1890
plaster
20.2 x 12.1 x 14.1

Provenance: **Rodin donation, 1916**
Exhibition: **1890, Paris, Salon de la**
Société nationale des Beaux-Arts,
not in catalogue
Paris, Musée Rodin, S. 1164

18.
Auguste Rodin (1840-1917)

Idylle Roux

1891
bronze
H. 48,1 ; L. 30 ; P. 31
signé « Rodin » sur le côté gauche

Historique : acquis par Antony Roux,
1891 ; coll. baron Vitta, 1914 ; acquis par
le musée Rodin en vente publique, Paris,
galerie Charpentier, 15 mars 1935, n° 14
Paris, musée Rodin, S. 1118

75 ———————————

18.
Auguste Rodin (1840-1917)

Roux Idyll

1891
bronze
48.1 x 30 x 31
Signed "Rodin" on the left side

Provenance: **acquired by Antony Roux,
1891; collection of Baron Vitta, 1914;
acquired by the Musée Rodin
at a public sale, Paris, Galerie
Charpentier, 15 March 1935, no. 14
Paris, Musée Rodin, S. 1118**

19.
Charles Weisser (1864-?)

l'Atelier de Rodin en 1888

huile sur toile
H. 80 ; L. 64
Signé « Charles Weisser 1888 » en bas
à gauche

Nogent-sur-Seine, musée Paul Dubois-
Alfred Boucher, inv. NS 02069

20.
Anonyme

*Rodin accoudé au Baiser,
dans l'atelier du 117, boulevard
de Vaugirard* (?)

fin 1888 ou début 1889
papier albuminé
H. 10 ; L. 15

Historique : donation Rodin, 1916
Paris, musée Rodin, Ph. 108

19.
Charles Weisser (1864-?)

Rodin's Studio in 1888

oil on canvas
80 x 64
**Signed "Charles Weisser 1888" on the
bottom left-hand side**

**Nogent-sur-Seine, Musée Paul Dubois-
Alfred Boucher, inv. NS 02069**

20.
Anonymous

***Rodin Leaning on The Kiss,
in the Studio at 117 Boulevard
de Vaugirard*** (?)

late 1888 or early 1889
albumen paper
10 x 15

Provenance: **Rodin donation, 1916**
Paris, Musée Rodin, Ph. 108

21.
Auguste Rodin (1840-1917)

le Baiser

1888-1889
marbre, praticien : Jean Turcan
H. 181,5 ; L. 112,3 ; P. 117

Historique : commande de l'État, 1888 ;
musée du Luxembourg, 1901 (Lux. 132) ;
déposé au musée Rodin, 1918.
Exposition : 1898, Paris, Salon de la
Société nationale des Beaux-Arts, n° 151 ;
1900, Paris, Exposition universelle,
Décennale, n° 544
Bibliographie : Nicole Barbier, *Marbres
de Rodin. Collection du musée*, Paris,
éditions du musée Rodin, 1987, cat. n° 79
Paris, musée Rodin, S. 1002

78 ————————————

21.
Auguste Rodin (1840-1917)

The Kiss

1889-1889
marble, sculptor's assistant:
Jean Turcan
181.5 x 112.3 x 117

Provenance: **Commission from
the French Government, 1888; Musée
du Luxembourg, 1901 (Lux. 132);
on deposit at the Musée Rodin, 1918.
Exhibitions: 1898, Paris, Salon de
la Société nationale des Beaux-Arts,
no. 151; 1900, Paris, Universal
Exhibition, Décennale, no. 544.
Bibliography: Nicole Barbier, *Marbres
de Rodin, Collection du musée*, Paris,
Éditions du Musée Rodin, 1987,
cat. no. 79
Paris, Musée Rodin, S. 1002**

22.
Anonyme

Le Baiser, marbre, profil droit,
dans l'atelier du 117,
boulevard de Vaugirard (?)

fin 1888 ou début 1889
épreuve gélatino-argentique
H. 17 ; L. 12

Historique : donation Rodin, 1916
Paris, musée Rodin, Ph. 3459

79 ———————————————

22.
Anonymous

The Kiss, marble, right side,
in the Studio at 117 Boulevard
de Vaugirard (?)

late 1888 or early 1889
gelatin silver print
17 x 12

Provenance: **Rodin donation, 1916**
Paris, Musée Rodin, Ph. 3459

23.
Anonyme

Le Baiser, marbre, de face,
dans l'atelier du 117,
boulevard de Vaugirard (?)

fin 1888 ou début 1889
épreuve gélatino-argentique
H. 21,8 ; L. 12,8

Historique : donation Rodin, 1916
Paris, musée Rodin, Ph. 3462

80 ⸻

23.
Anonymous

The Kiss, marble, front view,
in the Studio at 117 Boulevard
de Vaugirard (?)

late 1888 or early 1889
gelatin silver print
21.8 x 12.8

Provenance: **Rodin donation, 1916**
Paris, Musée Rodin, Ph. 3462

24.
Eugène Druet (1868-1917)

Le Baiser, marbre, de face,
dans l'atelier du 117,
boulevard de Vaugirard (?)

fin 1888 ou début 1889
épreuve gélatino-argentique
H. 39,9 ; L. 29

Historique : donation Rodin, 1916
Paris, musée Rodin, Ph. 3387

81 ————————————

24.
Eugène Druet (1868-1917)

The Kiss, marble, front view,
in the Studio at 117 Boulevard
de Vaugirard (?)

late 1888 or early 1889
gelatin silver print
39.9 x 29

Provenance: **Rodin donation, 1916**
Paris, **Musée Rodin, Ph. 3387**

25.

Eugène Druet (1868-1917)

Le Baiser, marbre,
de trois quarts à droite,
dans l'atelier du 117, boulevard
de Vaugirard (?)

fin 1888 ou début 1889
épreuve gélatino-argentique
H. 40 ; L. 29,8

Historique : donation Rodin, 1916
Paris, musée Rodin, Ph. 3389

82 ———————————

25.

Eugène Druet (1868-1917)

The Kiss, marble, 3/4 view
from the right, in the
Studio at 117 Boulevard
de Vaugirard (?)

late 1888 or early 1889
gelatin silver print
40 x 29.8

Provenance: Rodin donation, 1916
Paris, Musée Rodin, Ph. 3389

26.
Eugène Druet (1868-1917)
Le Baiser, marbre,
de trois quarts à droite,
dans l'atelier du 117, boulevard
de Vaugirard (?)

fin 1888 ou début 1889
épreuve gélatino-argentique
H. 39,9 ; L. 29,7

Historique : donation Rodin, 1916
Paris, musée Rodin, Ph. 3415

83 _____

26.
Eugène Druet (1868-1917)
The Kiss, marble, 3/4 view
from the right, in the
Studio at 117 Boulevard
de Vaugirard (?)

late 1888 or early 1889
gelatin silver print
39.9 x 29.7

Provenance: **Rodin donation, 1916**
Paris, Musée Rodin, Ph. 3415

27.
Eugène Druet (1868-1917)
Le Baiser, marbre, dans l'atelier
du Dépôt des marbres

après 1891
épreuve gélatino-argentique
H. 39,3 ; L. 30

Historique : donation Rodin, 1916
Paris, musée Rodin, Ph. 373

84 ————————————

27.
Eugène Druet (1868-1917)
The Kiss, marble, in the Studio
at the Dépôt des marbres

after 1891
gelatin silver print
39.3 x 30

Provenance: **Rodin donation, 1916**
Paris, Musée Rodin, Ph. 373

28.
Eugène Druet (1868-1917)

Le Baiser, marbre, dans l'atelier
du Dépôt des marbres

après 1891
épreuve gélatino-argentique
H. 39,8 ; L. 29,7

Historique : donation Rodin, 1916
Paris, musée Rodin, Ph. 374

85 ————————————

28.
Eugène Druet (1868-1917)

The Kiss, marble, in the Studio
at the Dépôt des marbres

after 1891
gelatin silver print
39.8 x 29.7

Provenance: **Rodin donation, 1916**
Paris, Musée Rodin, Ph. 374

29.
Eugène Druet (1868-1917)

*Eve et le Baiser, marbres, dans
l'atelier du Dépôt des marbres*

après 1891
épreuve gélatino-argentique
H. 40,2 ; L. 30

Historique : donation Rodin, 1916
Paris, musée Rodin, Ph. 944

86 ———————————

29.
Eugène Druet (1868-1917)

*Eve and The Kiss, marbles,
in the Studio at the Dépôt des
marbres*

after 1891
gelatin silver print
40.2 x 30

Provenance: **Rodin donation, 1916**
Paris, Musée Rodin, Ph. 944

30.
Eugène Druet (1868-1917)
Le Baiser, marbre,
au Salon de la Société nationale
des Beaux-Arts de 1898

1898
épreuve gélatino-argentique
H. 29,8 ; L. 40

Historique : donation Rodin, 1916
Paris, musée Rodin, Ph. 2398

87 ⎯⎯⎯⎯⎯⎯⎯⎯⎯⎯

30.
Eugène Druet (1868-1917)
The Kiss, marble, at the
Salon de la Société nationale
des Beaux-Arts of 1898

1898
gelatin silver print
29.8 x 40

Provenance: **Rodin donation, 1916**
Paris, Musée Rodin, Ph. 2398

31.
Eugène Druet (1868-1917)

Le Baiser, marbre,
et le Puritain de Saint-Gaudens
au Salon de la Société nationale
des Beaux-Arts de 1898

1898
épreuve gélatino-argentique
H. 40 ; L. 30

Historique : donation Rodin, 1916
Paris, musée Rodin, Ph. 1025

88 ————————

31.
Eugène Druet (1868-1917)

The Kiss, marble, and
Saint-Gaudens's Puritan
at the Salon de la Société
nationale des Beaux-Arts
of 1898

1898
gelatin silver print
40 x 50

Provenance: **Rodin donation, 1916**
Paris, Musée Rodin, Ph. 1025

32.
Eugène Druet (1868-1917)

Le Baiser, marbre,
au Salon de la Société nationale
des Beaux-Arts de 1898

1898
épreuve gélatino-argentique
H. 39,6 ; L. 29

Historique : donation Rodin, 1916
Paris, musée Rodin, Ph. 3388

33.
Anonyme

Le Baiser, plâtre, surmoulage
du marbre, dans le pavillon
de l'Alma remonté à Meudon

après 1901
épreuve gélatino-argentique
H. 24 ; L. 17,8

Historique : donation Rodin, 1916
Paris, musée Rodin, Ph. 3441

89

32.
Eugène Druet (1868-1917)

The Kiss, marble, at the
Salon de la Société nationale
des Beaux-Arts of 1898

1898
gelatin silver print
39.6 x 29

Provenance: **Rodin donation, 1916**
Paris, **Musée Rodin, Ph. 3388**

33.
Anonymous

The Kiss, plaster, cast
of the marble, in the Pavillon
de l'Alma reconstructed
in Meudon

after 1901
gelatin silver print
24 x 17.8

Provenance: **Rodin donation, 1916**
Paris, **Musée Rodin, Ph. 3441**

34.

Auguste Rodin (1840-1917)

le Baiser

1900-1904
marbre, praticiens : Ganier, pour la mise
aux points, et Dolivet pour la ciselure
H. 197 ; L. 114,4 ; P. 163
signé « A. Rodin » sur la terrasse à droite

Historique : commandé par Carl
Jacobsen en octobre 1900 ; expédié à
Copenhague en février 1904 ; donné par
Jacobsen dès 1903
Bibliographie : Anne-Birgitte Fonsmark,
*Rodin. La collection du brasseur Carl
Jacobsen à la glyptothèque – et œuvres
apparentées,* Copenhague, Ny Carlsberg
Glyptotek, 1988, cat. n° 17
Copenhague, Ny Carlsberg Glyptotek,
inv. 609

90

34.
Auguste Rodin (1840-1917)

The Kiss

1900-1904
**marble, sculptor's assistants: Ganier,
for the pointing; and Dolivet for
the chiseling**
197 x 114.4 x 163
**Signed "A. Rodin" on the pedestal
to the right**

Provenance: **Commissioned by Carl
Jacobsen in October 1900; shipped
to Copenhagen in February 1904;
given by Jacobsen in 1903**
Bibliography: **Anne-Birgitte Fonsmark,
*Rodin. La collection du brasseur Carl
Jacobsen à la Glyptothèque – et œuvres
apparentées,* Copenhagen, Ny Carlsberg
Glyptotek, 1988, cat. no. 17
Copenhagen, Ny Carlsberg Glyptotek,
inv. 609**

35.
Auguste Rodin (1840-1917)

le Baiser

1900-1904
marbre, praticiens : Ganier, pour la mise
aux points, Rigaud et Mathet pour la
ciselure
H. 182 ; L. 102 ; P. 153
signé « A. Rodin » sur la terrasse à droite

Historique : commandé par Edward
Perry Warren, 12 novembre 1900. Livré
à la fin de l'année 1904 ; vente Warren,
Lewes, 24 octobre 1929, n° 614, non
vendu ; coll. H. Asa Thomas, Lewes, vers
1929 ; coll. Mrs Pamela Tremlett ; acquis
en 1953 grâce à une souscription.
Exposition : 1906, Londres, New Gallery,
*Sixth Exhibition of the International
Society of Sculptors, Painters and Gravers.*
Bibliographie : Ronald Alley, *Foreign
Paintings, Drawings and Sculptures,*
Londres, Tate Gallery, 1959, pp. 224-226
Londres, Tate Gallery

91

35.
Auguste Rodin (1840-1917)

The Kiss

1900-1904
marble, sculptor's assistants: Ganier,
for the pointing; Rigaud and Mathet for
the chiseling
182 x 102 x 153
Signed "A. Rodin" on the pedestal
to the right

Provenance: **Commissioned by Edward
Perry Warren, 12 November 1900.
Delivered late 1904; Warren sale,
Lewes, 24 October 1929, no. 614,
not sold; coll. H. Asa Thomas, Lewes,
ca. 1929; coll. Mrs. Pamela Tremlett;
acquired in 1953 thanks to a
subscription.**
Exhibition: **1906, London, New Gallery,
*Sixth Exhibition of the International
Society of Sculptors, Painters and
Gravers***
Bibliography: **Ronald Alley, *Foreign
Paintings, Drawings and Sculptures*
London, Tate Gallery, 1959, pp. 224-26
London, Tate Gallery**

36.
Jacques-Ernest Bulloz (1858-1942)
Le Baiser, marbre,
de trois quarts à gauche, quittant
l'atelier de la rue Falguière

28 novembre 1904
épreuve au charbon
H. 34,5 ; L. 26

Historique : donation Rodin, 1916
Paris, musée Rodin, Ph. 1399

92 ───────────────

36.
Jacques-Ernest Bulloz (1858-1942)
The Kiss, marble, 3/4 view
from the left, leaving
the Studio on the Rue Falguière

28 November 1904
carbon print
34.5 x 26

Provenance: **Rodin donation, 1916**
Paris, **Musée Rodin, Ph. 1399**

37.
Jacques-Ernest Bulloz (1858-1942)
Le Baiser, marbre,
de trois quarts de dos, quittant
l'atelier de la rue Falguière

28 novembre 1904
épreuve au charbon
H. 34 ; L. 25

Historique : donation Rodin, 1916
Paris, musée Rodin, Ph. 1400

93

37.
Jacques-Ernest Bulloz (1858-1942)
The Kiss, marble, 3/4 view
from the back, leaving
the Studio on the Rue Falguière

28 November 1904
carbon print
34 x 25

Provenance: **Rodin donation, 1916**
Paris, Musée Rodin, Ph. 1400

38.
Jacques-Ernest Bulloz (1858-1942)

Le Baiser, marbre,
de face, quittant l'atelier
de la rue Falguière

28 novembre 1904
épreuve au charbon
H. 34,8 ; L. 25

Historique : donation Rodin, 1916
Paris, musée Rodin, Ph. 1401

94

38.
Jacques-Ernest Bulloz (1858-1942)

The Kiss, marble,
front view, leaving the Studio
on the Rue Falguière

28 November 1904
carbon print
34.8 x 25

Provenance: **Rodin donation, 1916**
Paris, Musée Rodin, Ph. 1401

39.
Jacques-Ernest Bulloz (1858-1942)
Le Baiser, marbre,
de dos, quittant l'atelier
de la rue Falguière

28 novembre 1904
épreuve au charbon
H. 34,5 ; L. 25,4

Historique : donation Rodin, 1916
Paris, musée Rodin, Ph 1402

95 ————————————

39.
Jacques-Ernest Bulloz (1858-1942)
The Kiss, marble,
back view, leaving the Studio
on the Rue Falguière

28 November 1904
carbon print
34.5 x 25.4

Provenance: **Rodin donation, 1916**
Paris, Musée Rodin, Ph. 1402

40.
Auguste Rodin (1840-1917)

le Baiser

1898
réduction n° 1 ; chef-modèle bronze
H. 71,1 ; L. 42,5 ; P. 45

Historique : contrat avec Barbedienne,
6 juillet 1898 ; remis au musée en 1920
Bibliographie : Isabelle Vassalo,
« Barbedienne et Rodin : l'histoire
d'un succès », exp. *Rodin sculpteur*, Paris,
musée Rodin, 1992-1993, pp. 187-190
Paris, musée Rodin, S. 2809

40.
Auguste Rodin (1840-1917)

The Kiss

1898
reduction no. 1; bronze master cast
71.1 x 42.5 x 45

Provenance: Contract with
Barbedienne, 6 July 1898; returned
to the museum in 1920
Bibliography: Isabelle Vassalo,
"Barbedienne et Rodin: l'histoire
d'un succès", exhibition *Rodin
sculpteur*, Paris, Musée Rodin,
1992-1993, pp. 187-190
Paris, Musée Rodin, S. 2809

41.
Auguste Rodin (1840-1917)

le Baiser

1898
réduction n°2 ; chef-modèle, bronze
H. 25,7 ; L. 15,3 ; P. 15,7

Historique : contrat avec Barbedienne,
6 juillet 1898 ; remis au musée en 1920
Bibliographie : *cf.* cat. 40
Paris, musée Rodin, S. 776

97 ———— ——————————

41.
Auguste Rodin (1840-1917)

The Kiss

1898
reduction no. 2; bronze master cast
25.7 x 15.3 x 15.7

Provenance: **Contract with
Barbedienne, 6 July 1898; returned
to the museum in 1920**
Bibliography: **Cf. cat. 40**
Paris, Musée Rodin, S. 776

42.
Auguste Rodin (1840-1917)

le Baiser

1901
réduction n° 3 ; chef-modèle, bronze
H. 40 ; L. 24,5 ; P. 25,5

Historique : contrat avec Barbedienne,
1901 ; remis au musée en 1920
Bibliographie : *cf.* cat. 40
Paris, musée Rodin, S. 2061

98 ————————————

42.
Auguste Rodin (1840-1917)
The Kiss

1901
reduction no. 3; bronze master cast
40 x 24.5 x 25.5

Provenance: Contract with
Barbedienne, 1901; returned
to the museum in 1920
Bibliography: Cf. cat. 40
Paris, Musée Rodin, S. 2061

43.
Auguste Rodin (1840-1917)

le Baiser

1904
réduction n° 4 ; chef-modèle, bronze
H. 60,2 ; L. 36,8 ; P. 47

Historique : contrat avec Barbedienne,
1904 ; remis au musée en 1920
Bibliographie : *cf.* cat. 40
Paris, musée Rodin, S. 2393

99 ————————————

43.
Auguste Rodin (1840-1917)

The Kiss

1904
reduction no. 4; bronze master cast
60.2 x 36.8 x 47

Provenance: **Contract with
Barbedienne, 1904; returned
to the museum in 1920**
Bibliography: **Cf. cat. 40**
Paris, Musée Rodin, S. 2393

44.
J. Roseman
*La salle du Baiser
au musée Rodin en 1926,
avec les peintures de Jaulmes*

épreuve gélatino-argentique
H. 21,2 ; L. 28

Paris, musée Rodin, Ph. 1972

100 ———————————

44.
J. Roseman
**The Room of The Kiss
in the Musée Rodin in 1926,
with Paintings by Jaulmes**

gelatin silver print
21.2 x 28

Paris, Musée Rodin, Ph. 1972

45.
Marcel Duchamp (1887-1968)

Morceaux choisis
d'après Rodin : le Baiser

janvier 1968
eau-forte sur papier Japon, n° 16/30
H. 50,5 ; L. 32,5
signé en bas à droite « Marcel Duchamp »

Historique : acquis par le musée en 1989
Paris, musée Rodin, G. 7699

101 ————————————

45.
Marcel Duchamp (1887-1968)
Selected Works after
Rodin: The Kiss

January 1968
etching on Japan paper, no. 16/30
50.5 x 32.5
Signed "Marcel Duchamp"
on the bottom right

Provenance: **acquired by the museum
in 1989**
Paris, Musée Rodin, G. 7699

Publication du département de l'édition
dirigé par Anne de Margerie

Coordination éditoriale
Bernadette Caille

Traduction
Lisa Davidson et Michael Gibson

Relecture des textes
Jean Paul Arrix-Pourtade et Sarah Clément,
et pour la version anglaise Anne F. Garréta
et Virginia Vander Jagt

Conception graphique
Jean-Yves Cousseau

Fabrication
Jacques Venelli

Cet ouvrage a été achevé d'imprimer sur
Calypso 135 g. en septembre 1995, sur les presses
de l'imprimerie Jacques London à Paris.
La photogravure a été réalisée par Bussière à Paris
et le façonnage par la S.I.R.C. à Marigny le Chatel.

Dépôt légal : octobre 1995

I.S.B.N. : 2-7118-3356-9
EK 19 3356